KT-160-842

CURIG

*Teyrnged i'r
Parchedig E. Curig Davies
(1895 – 1981)*

Gweinidog, Gweinyddwr, Gweledydd

Golygydd
HUW ETHALL

Tŷ John Penry
Abertawe
1992

Argraffiad Cyntaf–1992

ISBN 1 871799 10 4

Dymuna'r cyhoeddwyr gydnabod y cymorth a gafwyd gan y Cyngor Llyfrau Cymraeg a noddir gan Gyngor Celfyddydau Cymru i gyhoeddi'r gyfrol hon.

WEST GLAMORGAN COUNTY LIBRARY

820806   £5.50

JULY 1992

CLASS NO   *B DAV*

LOCATION
DZ — COMMUNITY SERVICES

Argraffwyd gan Wasg John Penry, Abertawe

Cynnwys

Cyflwyniad: Derwyn Morris Jones — 6

Dyddiadau a Chyhoeddiadau — 7

Rhagair: Golygydd — 8

Ebenezer Curig Davies: Huw Ethall — 11

'Nhad: Ednyfed Hudson Davies — 24

E. Curig Davies (1935-1964): R. Tudur Jones — 31

Mr. Davies: Ray Rees — 46

Y Breuddwydiwr Effro: Ieuan S. Jones — 56

Lluniau — 60

Atgofion: John Stuart Roberts — 68

Y Parchg. E. Curig Davies: D. Elfryn Thomas — 74

Y Cymwynaswr: E. Glyndwr Walker — 77

Gweinidog a Gweledydd: Glyn Richards — 80

Curig Davies: W.T. Owen — 83

Atgofion am y Parchg. E. Curig Davies: Nia Rhosier — 85

Y Gweithiwr Diarbed: W. Rhys Nicholas — 87

Y Gweithiwr yn haeddu gorffwys: F.M. Jones — 91

Iesu o Nasareth (un o ysgrifau E. Curig Davies) — 95

Detholiad o Farddoniaeth — 99

Cyflwyniad

Y mae'n fraint ac yn hyfrydwch gennyf ysgrifennu gair o gyflwyniad i'r gyfrol ddifyr hon. Gwnaeth y Golygydd, y Parchg. Huw Ethall, un gymwynas yn rhagor i ni wrth fwrw ati i gasglu'r deunydd sydd ynddi. Cawn olwg gytbwys drwy'r amrywiol ysgrifau ar ŵr amryddawn, cwbl ymroddedig ac annwyl iawn, a gyplysai yn ei berson mewn modd digon anghyffredin y breuddwydiwr a'r gweithredwr.

Cofiaf i mi gael braw yn ei angladd ym mis Ionawr 1981 wrth glywed traethu am faint ac amrywiaeth ei gyfraniad i'w enwad, ac yn wir i'w genedl. Yr oeddwn ar y pryd ar fin dod yn un o'i olyn-wyr fel Ysgrifennydd Cyffredinol Undeb yr Annibynwyr Cymraeg, a gweithio yn y Tŷ yn Abertawe sydd ar lawer ystyr yn gofadail i'w weledigaeth a'i ddygnwch. Darganfûm wedi cyrraedd yno na fyddwn yn eistedd wrth ei ddesg. Ei olynydd, y Parchg. Trebor Lloyd Evans, oedd y cyntaf i ddefnyddio'r ystafell a'r ddesg a nodwyd ar gyfer yr Ysgrifennydd Cyffredinol yn Tŷ John Penry. Llanw'r ystafell honno hyd yr ymylon â llyfrau a wnaeth Curig Davies, yn cynnwys miloedd o gopïau o'r argraffiadau gwahanol o'r llyfr emynau newydd *Y Caniedydd* oedd yn cael ei gyhoeddi ar y pryd. Penderfynodd rannu desg â'i ysgrifenyddes, Miss Ray Rees. Ond anfynych yr eisteddai'n hir wrth y ddesg honno ychwaith yn ôl pob sôn. Ar ei draed y cyflawnai'r ysgrifennydd diwyd ac unigryw hwn y rhan helaethaf o'i waith.

'Aflêr a llwyddiannus' oedd disgrifiad ei weinidog, y Parchg. F.M. Jones o Curig Daves fel garddwr. Dichon mai dyna'r gwir amdano fel Ysgrifennydd hefyd! Gwn fy mod ymhlith llu sy'n ddyledwyr iddo.

Rwy'n siwr y cewch flas ar yr hyn sydd yn dilyn. A 'does dim yn fwy addas na bod Gwasg John Penry a sefydlwyd o ganlyniad i'w benderfyniad mentrus ef, yn argraffu'r llyfr sy'n deyrnged haeddiannol iddo.

DERWYN MORRIS JONES

DYDDIADAU

Mehefin 25, 1895: Ei eni yn Nhresaeson, plwyf Clydau, Sir Benfro.

1917-1921: Berea, Bynea, Llanelli.

1921-1935: Capel Sul, Cydweli; Tabor, Llansaint; Soar, Mynydd-y-Garreg.

1935-1942: Ebeneser, Bangor; Salem, Hirael (1937-40).

1942-1964: Ysgrifennydd Undeb yr Annibynwyr Cymraeg.

1964-1971: Henrietta Street, Abertawe.

1964-1965: Cadeirydd Undeb yr Annibynwyr Cymraeg.

Ionawr 10, 1981: Bu farw yn Lymington, ger Southampton yn 86 oed.

Ionawr 30, 1981: Daearwyd ei lwch ym mynwent Bethel, Sgeti, Abertawe.

CYHOEDDIADAU

1925: *Awelon Oes* (Cofiant Brynach).

1927: *Llef y Gwyliedydd* (Golygydd cyfrol o bregethau gan Weinidogion Annibynnol).

1935-1943: Prif olygydd *Y Cyfarwyddwr.*

1939: *Gwybod* – cyd-olygydd â Tom Parry.

1940: *Y Morwr a'r Merthyr.*

1945-1965: *Tywysydd y Plant* (Golygydd).

1960: *Beibl y Plant* (ailargraffiad 1969).

1965: *Cyfraith Rhyddid.*

1967: *Enoc Huws* (Talfyriad).

1970: *Gwen Tomos* (Talfyriad).

Pamffledi: *Elfed* 1860-1957.
Storïau am Annibynwyr.
Arwyr y Groes.
Dyrchafaf fy Nwylo.
Llais a Lli.
Stori Tŷ John Penry.

I blant: *Yr Addewid Fawr.*
Y Rhodd Fawr.
Storïau'r Iesu.
Cyfaill Mawr y Plant.

Rhagair

Yn Heol Sant Helen, Abertawe saif adeilad urddasol Tŷ John Penry a safle Gwasg John Penry. Mae'r naill a'r llall yn gofgolofnau arhosol i E. Curig Davies ond cofgolofnau marw a mud ydynt. Ymgais yw'r gyfrol hon i droi'r mudandod hwnnw yn lleisiau. Bydd enw John Penry yn aros, wrth gwrs, a chawn gyfle fel cenedl yn 1993 i ddathlu pedwarcanmlwyddiant ei ferthyrdod, ond tybed a fydd rhywrai ymhen blynyddoedd yn gofyn 'Pwy gododd Dŷ John Penry?' Ceir stori'r gŵr hwnnw yn y gyfrol hon.

Dadleuai rhai y byddai rhoi cofeb ar fur yn Nhŷ John Penry yn ddigon i'w goffáu ond ni ddywedai honno fawr ddim amdano. Ac mae'r darlun clodwiw mewn olew a wnaed yn broffesiynol gan y Parchg. Ieuan S. Jones i'w weld ar fur y capel yn Nhŷ John Penry yn atgoffa pawb o'i gysylltiad â'r lle. Ond mae'r llun yntau'n fud.

Mae fy nyled yn fawr i gyfranwyr y gyfrol hon a ymatebodd yn ddiberswâd i'm cais iddynt. Mae'r Dr. R. Tudur Jones am fynegi ei ddiolch i Miss Meinwen Parry, Bangor a'r Parchg. Howell Mudd, Glandŵr am wybodaeth werthfawr. Carwn innaù ddiolch i Mrs. Thelma Adams, Bynea, Llanelli, Mrs. M. White, Cydweli, Mrs. Annie Eurof Jones, Bethesda a'r Parchg. J. Haines Davies am gymwynas debyg.

Carwn ddiolch hefyd i'r Parchg. Derwyn Morris Jones, Ysgrifennydd Undeb yr Annibynwyr Cymraeg presennol am ei air caredig o gyflwyniad i'r gyfrol, i'r Parchg. W. Rhys Nicholas am amryw o gymwynasau cyn iddi fynd i'r wasg ac i Vic John, Cyfarwyddwr Cyhoeddi. A diolch cywir iawn i Elfryn Thomas, goruchwyliwr Gwasg John Penry am ei waith ef a'i gydweithwyr yn cynhyrchu cyfrol môr lan yr olwg. Buasai E. Curig Davies, o bawb, yn siŵr o ganmol a diolch iddynt.

Bu Ednyfed Hudson Davies, ei fab, yn garedig tu hwnt pan awgrymwyd cyfrol fel hon i'w dad. Rhoddodd gefnogaeth lwyr i'r gwaith o'r cychwyn. Ar y dechrau, awgrymais gofiant ond barnwyd y byddai cyfrol deyrnged – gyda'r pwyslais yn sicr ar yr ail air – yn fwy addas ac yn fwy haeddiannol. Daeth Ednyfed â bocseidiau o bapurau, adroddiadau, llythyrau, llyfrynnau a llyfrau a adawyd gan ei dad, yn aml heb unrhyw fath o drefn arnynt! Ni fyddai y caredicaf o gyfeillion agosaf Curig Davies yn ei anfarwoli am ei drefnusrwydd, ac eto, a drefnodd neb arall, yn Annibynia beth bynnag, fwy nag ef yn ei cyfnod ni?

Mae'r gyfrol hon yn ceisio cydnabod y llafur enfawr hwnnw. Mae paladr englyn y diweddar Barchg. O.M. Lloyd yn dweud y gwir am Curig Davies:

> Gwas enwad, gwiw yw synnu — at ei waith
> Mae tu hwnt i'w draethu . . .

Rhoddodd oes o wasanaeth — ar gyflog gwas — i eglwysi, Undeb yr Annibynwyr Cymraeg a'r achos Cristnogol yng Nghymru. Ceisio gwerthfawrogi'r gwasanaeth hwnnw yw amcan y gyfrol hon.

Y GOLYGYDD

Ebenezer Curig Davies

HUW ETHALL

'Curig', yn syml felly, oedd ei enw i'r rhai a'i hadnabu, 'Mr. Curig Davies' yn y cylchoedd cyhoeddus, parchus ond 'Benser' ar yr aelwyd i'w briod Enid bob amser. Ond nid oedd yn berson gwahanol ar waethaf yr enwau gwahanol.

Roedd o daldra cyffredin, yn gwisgo'n dwt bob amser ac, ar yr olwg gyntaf, ymddangosai'n ddyn difrifol iawn. Ond unwaith y dechreuai sgwrsio â chi roedd yn gyfaill agos, agos a'r wyneb addfwyn a'r llais melodaidd a'i sgwrs yn adlewyrchu personoliaeth o ddiwylliant eang. Mewn gair, gŵr bonheddig oedd Curig Davies. Yn nyddiau Abertawe, gwisgai het 'Homburg' lwyd yn ddieithriad ple bynnag y gwelech ef—yn y swyddfa, yn y Wasg, yn y siop (pan oedd honno ar gael), fel pe bai ar waith o hyd. Dyna oedd, wrth gwrs, a dim eiliad i'w gwastraffu. Mewn sgwrs byddai'n ymdaflu'n syth i'r pwnc dan sylw gan hebgor y cyfeiriadau dibwys-ddisgwyliedig at y tywydd neu gyflwr iechyd y sgwrsiwr a'i deulu. Yr oedd pethau pwysicach i'w trafod. Efallai y byddai'n sôn am yr ardd. Efallai. Diwedd pob sgwrs, fodd bynnag, fyddai'r Undeb a'i waith. Yn ddieithriad.

Rhan o saga blynyddoedd Abertawe oedd stori pob un a fu'n teithio yn y 'Riley' enwog gydag ef pan fyddai'r gyrrwr â mwy o ddiddordeb yn y sgwrs a'r cyd-deithiwr na'r traffig o'i gwmpas. Roedd gofal Rhagluniaeth dros y 'Riley' yn ddigwestiwn bryd hynny.

Wedi i'r Athro Henry Lewis o Brifysgol Abertawe ac aelod o Bwyllgor Gweinyddol Undeb yr Annibynwyr gynnig yr enw 'Gwasg John Penry' ar wasg newydd yr Enwad, mae stori apocryffaidd i ryw wag cellweirus awgrymu'r enw 'Capel Curig' ar yr adeilad a ddaeth yn 'Tŷ John Penry'. Tra pery'r ganolfan honno, bydd y ddau enw, John Penry a Curig Davies ynghlwm wrth y lle.

*   *   *

Cyfnodau byr o ddwy neu dair blynedd oedd hyd goruchwyliaeth Ysgrifenyddion yr Undeb hyd at gyfnod y Parchg. D. Morgan Davies a fu yn y swydd am saith mlynedd (1927-34) a chyfnod y Parchg. James Davies o wyth mlynedd (1934-42), ac oherwydd ei gyfnod maith o ddwy flynedd ar hugain fel Ysgrifennydd yr Undeb (1942-64), gellid yn hawdd anghofio mai gweinidog ordeiniedig oedd Curig

11

Davies. Un hynodrwydd mawr a berthynai iddo fel gweinidog – o'i eglwys gyntaf un ymlaen – oedd ei lafur mawr ynglŷn ag adeiladu capeli newydd. Gwnaed Curig Davies ym mowld y gwneuthurwyr ymarferol. Fel yr erys pont Pontypridd a phontydd eraill yn gofgolofnau i'r enwog Barchg. William Edwards, mae capel Berea, Bynea, Llanelli a Chapel Sul, Cydweli yn sefyll heddiw yn gofgolofnau iddo yntau. Meddai'r Parchg. Robert Edwards, Llanymddyfri yn *Hanes Berea 1910-1960:*

> Yr oedd cydweithrediad hapus rhwng y gweinidog a'r Eglwys, ac ni fu yn hir yn Berea cyn dechrau meddwl am deml harddach i addoli ynddi, ac yn ystod ei weinidogaeth cychwynwyd cronfa tuag at adeiladu capel newydd a chasglwyd dros £1,000.

Dyma ei ofalaeth gyntaf, ond yr oedd yr egin drefnydd-adeiladydd wrth ei waith yn syth ar ôl ei alw i'r Weinidogaeth.

Cynhwysai gofalaeth Capel Sul, Cydweli, eglwysi Soar, Mynydd y Garreg a Thabor, Llan-saint yn ogystal. Mae stori adeiladu'r Capel Sul newydd yn saga. Ni bu'r gweinidog yno'n hir cyn annog aelodau'r eglwys i sicrhau cartref newydd fel lle o addoliad ac aed ati i addasu tŷ mawr hardd i'r pwrpas. 'Rumsey House' oedd y tŷ ac iddo hanes diddorol, macabr yn wir. Dyma gartref Harold Greenwood, cyfreithiwr yn y dref, a'i wraig Mabel. Bu hi farw dan amgylchiadau amheus ar Fehefin 15, 1919 ac amheuwyd ei gŵr o'i gwenwyno. Ddeng mis ar ôl ei marwolaeth, ailgodwyd y corff o'r bedd a dangosodd y *post mortem* fod arsenig yn y corff a chyhuddwyd Harold Greenwood o'r drosedd. Cynhaliwyd yr achos llys yng Nghaerfyrddin mewn awyrgylch o ddiddordeb lleol anghyffredin fel y disgwylid, ac amddiffynnwyd Greenwood yn yr achos gan Syr Edward Marshall Hall, un o fargyfreithwyr enwocaf y Deyrnas Unedig ar y pryd. Barnwyd Greenwood yn ddi-euog ond ni bu byw yn hir ar ôl hynny, wedi wynebu trafferthion ariannol a phroffesiynol.

Y tŷ hwnnw ddaeth yn gartref newydd i aelodau Capel Sul – dan arweiniad Curig Davies, ac fe'i hagorwyd fore Sul Ebrill 25, 1926. Wynebwyd cost o £6,000 i addasu'r tŷ, swm enfawr o gofio cyni economaidd y dauddegau. Bu'r gweinidog yn foddion i addasu'r ddau gapel arall yn ei ofalaeth yn ogystal ag adeiladu tair festri a thŷ gweinidog ar draul o rhwng £8,000 a £10,000. Yn Adroddiad yr eglwys am 1931 ysgrifennai'r gweinidog: 'Gobeithiwn y bydd amgylchiadau yn y dref yn gwella yn 1932. Awn rhagom mewn gobaith.'

Dywed y *Carmarthen Journal*, Ebrill 26, 1926 adeg agoriad y Capel Sul newydd wrth sôn am y gweinidog:

In August 1923 he married Miss Enid Hughes, B.A. the Welsh Mistress at the Llanelly Intermediate School. Mrs. Davies, who is a native of Bodorgan, Anglesey is like her husband, very popular and has done excellent work for the Cymrodorion.

Bu ei briod yn gymorth mawr iddo ar ôl hyn, wrth gwrs, yn arbennig gyda gwaith golygyddol ei gŵr, ac wrth gyfrannu ysgrifau a barddoniaeth, golygu a chywiro proflenni. Mae'n siŵr y buasai ef yn dweud iddi wneud llawer, llawer mwy na hynny.

Yn 1935 symudodd Curig Davies, ei briod ac Ednyfed ieuanc, i Fangor.

*   *   *

Ceir crynhoad o'u cyfnod ym Mangor yn ysgrif y Dr. R. Tudur Jones.

*   *   *

Yn rhifyn 3 Medi, 1942 o'r *Tyst* cafwyd yr hysbysiad hwn:

Dymuna Pwyllgor Cyfrif Pleidleisiau Ethol Ysgrifennydd Newydd hysbysu mai'r Parchg. E. Curig Davies, B.A., Bangor a gafodd y mwyafrif o'r pleidleisiau. Arwyddwyd dros y Pwyllgor,

James Davies, Ysgrifennydd.

Fel y dengys y cyn-Brifathro cafwyd rhestr fer o dri am y swydd — y Parchgn. J.H. Pugh, Abersoch a J.T. Rogers, Merthyr oedd y ddau arall.

Cynhaliwyd oedfa arbennig yng Nghapel Henrietta Street, Abertawe i 'neilltuo Ysgrifennydd newydd yr Undeb'. Fe'i cynhaliwyd brynhawn Mercher, Tachwedd 25, 1942, ac fe'i disgrifiwyd yn *Y Tyst* (3.12.1942) fel 'oedfa i'w chofio'.

Eglurodd y Dr. R. Tudur Jones mewn llythyr at y golygydd wrth dderbyn y gwahoddiad i groniclo cyfnod a chyfraniad y Parchg. E. Curig Davies fel Ysgrifennydd yr Undeb iddo 'fethu yn lân â chael unrhyw bapurau na llythyrau o'r Swyddfa' wrth ysgrifennu ei gyfrol *Yr Undeb* yn 1972 a bu rhaid iddo 'lynu wrth ffynonellau printiedig' yn unig. 'Y peth sy'n gwneud hanes sefydliad yn ddiddorol a bywiog yw gallu mynd y tu ôl i'r llenni i gael gweld cymhellion pobl ac union ansawdd y berthynas rhyngddynt' meddai. Gan i mi gael gweld y papurau a'r llythyrau a adawyd ar ôl (mae'n siŵr i lawer iawn ohonynt fynd ar goll) gellir llenwi rhai o'r bylchau.

Cyn adeiladu Tŷ John Penry bu Mrs. Annie Eurof Jones, Bethesda yn ysgrifenyddes i'r Parchg. James Davies am chwe blynedd cyn apwyntiad Curig Davies, ac mewn llythyr ataf meddai:

Roedd yn newid aruthrol pan ddaeth Curig Davies i gymryd drosodd. Yr oedd yn naturiol iddo fod yn llai hyderus ag yntau mewn swydd hollol newydd ond oherwydd hyn nid oedd hyder ganddo yn ei staff chwaith. Yr argraff, neu'r newid cyntaf efallai, oedd colli'r awyrgylch hamddenol, y cyfeillgarwch a'r agosatrwydd rhwng y staff a'r goruchwyliwyr, a oedd bob amser yn barod i drafod y gwaith bob dydd gyda Mr. Clifford Thomas a minnau. Roedd Curig am wneud popeth ei hun heb ymgynghori â neb (roedd yr hawl ganddo i wneud hyn wrth gwrs). Fel ysgrifennydd newydd roedd ei syniadau ei hun ganddo sut y dylai swyddfa gael ei rhedeg. Nid oedd yn hoffi'r ffordd yr oeddem yn cadw'n cyfrifon er iddo ildio mewn rhai wythnosau ar ôl cael gair â'r cyfrifydd. Nid oedd yn hoffi'r adeilad yn Northampton Place o gwbl. Nid oedd yn teimlo ei fod yn addas i fod yn ganolfan i'r Undeb.
Peth arall oedd yn dangos ei ddiffyg hunanhyder oedd y ffaith iddo gario arian y Swyddfa nôl a mlaen i Lanelli bob nos am rai misoedd gan ei fod yn byw gyda'r Parchg. a Mrs. D.J. Davies. Buom yn ceisio ei berswadio fod hwn yn beryglus iawn a chymaint o fomio yn mynd ymlaen ar y pryd . . .
Roedd ganddo lawer o freuddwydion, rhai a ddaeth i'r golwg rwy'n siwr ond eraill hefyd heb ddwyn ffrwyth oherwydd iddo newid ei feddwl mor aml a meddwl am rywbeth arall.

Cyfeddyf Mrs. Jones iddi geisio rhoi darlun gonest a diragfarn, ac meddai:

Ond ar ôl dweud yr holl bethau hyn mae'n rhaid cyfaddef fod rhywbeth yn annwyl ac yn hoffus yn Curig. Bûm yn ei gwmni lawer gwaith ar ôl gadael y Swyddfa a'i gael yn ffrind da, ac yn ein sgwrs, fwy nag unwaith, cyfaddefodd iddo wneud pethau'n anodd i ni ond iddo ddysgu llawer iawn gan Mr. Thomas a minnau, er iddo chwarae llawer ar ein hamynedd! (Llythyr 18.7.1990).

*   *   *

Mewn cyfnod maith o ddwy flynedd ar hugain fel Ysgrifennydd yr Undeb cafodd brofiadau cymysg wrth gwrs, a phrofi gwên a gwg dynion, heulwen a storm. Glynodd yr awydd 'am wneud popeth ei hun', ac yn ei ffordd ei hun, ar hyd ei yrfa ac yn fynych, fynych daeth dan lach beirniadaeth a chondemniad. Ni wyddai beth oedd bod yn Ysgrifennydd poblogaidd. Ystyrrid ef yn naïf iawn ar brydiau ac yn destun hwyl diniwed yn aml. Os byddai adeilad ar werth rywle — neu long hyd yn oed meddai rhywun! — gocheled pawb os oedd

Curig â'i lygaid arno neu arni. Ond gweld cyfle a wnâi'r llygaid effro, anturus hynny bob amser. A gwnâi bopeth er lles yr Undeb a'r Enwad: ni wyddai beth oedd gweithio er hunan-les. Ef oedd y mwyaf anhunanol o ddynion, na fu erioed yn ennill cyflog teilwng.

Fel Ysgrifennydd yr Undeb cadwai olwg barcud ar unrhyw sefyllfa a oedd yn agored i gam neu anghyfiawnder. Ffoniai weddw gweinidog, er enghraifft, i'w sicrhau fod pensiwn ar gael (pitw yn nhermau'r byd, mae'n wir) er nad oedd wedi gwneud cais amdano. Roedd amser y byd ganddo i wrando ar gwynion a phroblemau gweinidogion ac 'eisteddai lle'r eisteddent hwy'. Dywedir i ddau ddiacon o eglwys arbennig ddod ato i achwyn ynglŷn ag ymddygiad rhai o aelodau'r eglwys a cheisio ei gyfarwyddyd. Dywedodd wrthynt fod ganddo gyfrol yn sôn am reolau gweithredu mewn amgylchiadau felly ac aeth yn syth i chwilio am Feibl a'u hannog i'w ddarllen! Gwyddai Curig sut i chwerthin yn iach er iddo wisgo mwgwd piwritanaidd ar dro. Er iddo gael ei fagu mewn cartref digon llwm roedd yno ddigon o hwyl fel y canodd yn ei delyneg 'Y Bwthyn':

> Bwthyn fy hiraeth yn lluestai'r grug –
> Mor llawn o chwerthin a mor wag o ffug . .

Cadwodd yr hwyl a'r didwylledd hwnnw ar hyd ei oes.

Yn rhai o'r llythyrau a adawodd ar ei ôl, gwelir rhywfaint o'r baich a ysgwyddodd yn ei swydd ac i hwnnw ei lethu ar brydiau. Mewn llythyr at y Parchg. Ddr. D. Tegfan Davies, gweinidog eglwys Gellimanwydd, Rhydaman a oedd yn Gadeirydd yr Undeb ar y pryd, ysgrifennodd:

> Yr wyf yn teimlo fy mod wedi dod i ben fy nhennyn, ac y mae cyfrifoldeb mawr *Y Caniedydd* gyda phethau eraill yn ormod. Methaf â chael cydweithrediad y Wasg' (Hyd. 29, 1958).

Y flwyddyn ganlynol ysgrifennai at ei gefnder, y Parchg. D.J. Davies, Capel Als, Llanelli:

> Ni ddaw help gwirioneddol i'r Ysgrifennydd drwy'r *Tyst* na'r *Dysgedydd*. Cyfle i bawb ergydio. Gweler *Tyst* Mai 7, 1959, llai nag un golofn i agor Tŷ John Penry. Dwy dudalen i Harrow a dwy golofn i ddifrod Madagascar, y rhoddwyd cymaint sylw iddo. Hanner colofn wedyn yn y Nodion Golygyddol – dim am Dŷ John Penry.

Golygydd *Y Tyst* bryd hynny oedd y Parchg. E. Lewis Evans a'r Parchg. Iorwerth Jones yn olygydd *Y Dysgedydd*.

Mewn llythyr eto at D.J.D. (heb ddyddiad arno) meddai:

> Y mae'r holl ymgecru sydd yn bod yn feichus ac yn ei gwneud yn anorfod i mi orffen mor fuan ag sy'n bosibl. Ond mae pethau gwaeth o'm safbwynt i . . . Nid wyf am fod yma ddiwrnod gyda'r sawl ddaw yma.

Bu amserau anodd mae'n amlwg, ond y feirniadaeth lemaf arno—ac ar swyddogion eraill yr Undeb—oedd yn ystod y trafodaethau ar gynigion y miliwnydd Syr David J. James yn 1962 pan gynigiodd hwnnw chwarter miliwn o bunnoedd dros gyfnod o bum mlynedd i'r enwadau Ymneilltuol ar yr amod eu bod hwy yn cyfrannu'r un swm ac yn uno â'i gilydd. Nod mawr y cynllun oedd codi cyflogau gweinidogion. Gwrthododd y Bedyddwyr y cynigion yn syth heb gymryd rhan yn y trafodaethau. Yr oedd yr Annibynwyr a'r Presbyteriaid yn cydweithio'n agos oherwydd, yn bennaf, y berthynas agos rhwng Syr David Hughes-Parry, un o bileri'r Presbyteriaid a Curig Davies. Ond bu dadlau chwyrn rhwng yr Annibynwyr eu hunain mewn Cyrddau Chwarter ac Undeb a esgorodd ar ysgrifennu bywiog yn *Y Tyst* a phapurau a chylchgronau. Rhannwyd gweinidogion yn eu hymateb dros ac yn erbyn y Cynllun, a olygai gasglu £220,000 drwy'r eglwysi.

Un o'r beirniaid llymaf o'r Cynllun oedd y Dr. R. Tudur Jones, prifathro Coleg Bala-Bangor ar y pryd a ysgrifennodd lith bryfoclyd, ddychanol a deifiol yn *Barn* Rhagfyr 1962 dan y teitl 'Iago a James' a defnyddio brawddegau fel 'A glywyd llef ddistaw fain yr Ysbryd Glân yn siffrwd y papurau punt?' ac 'Y mae'r trafod hanner-cudd, y cymrodeddu, yr ystumio, y gogor-droi a fu hyd yn hyn ynglŷn â chynigion Syr David wedi gwneud mawr ddrwg eisoes i'r achos Cristionogol yn Nghymru.' Yr oedd rhywfaint o wir yn yr honiad wrth gwrs, o feddwl am yr anghydweld mawr a fu ynglŷn â'r cynigion. Meddai ymhellach:

> Os derbynnir cynigion Syr David bydd yr eglwysi'n gorfod wynebu blynyddoedd o gysegru eu hamser, eu hynni a'u doniau i gasglu arian.

Daeth yr un feirniadaeth lem yng ngholofn Dyddlyfr y Dysgedydd yn rhifyn Tachwedd/Rhagfyr 1962 o'r *Dysgedydd* dan y pennawd 'Cwest ar Gronfa Syr David James' gan y golygydd, y Parchg. Iorwerth Jones. Wrth sôn am 'yr holl gynllun anffodus', meddai:

> Y mae'n rhaid i mi gyfaddef yn y fan hon ymglywed ag un gŵr goludog, pa mor hael bynnag y bo, yn ceisio gosod y ddeddf i lawr fel hyn ac yn ceisio penderfynu polisïau pwysicaf Ymneilltuaeth Cymru am flynyddoedd, trwy chwifio ei lyfr sieciau, yn fy ngwneud i braidd yn sâl.

Cythruddwyd Syr David Hughes-Parry gan y nodiadau hyn ac mewn llythyr at Curig Davies ceid geiriau fel *'Farce* hollol! Nid fel hyn mae ysgrifennu os ydyw hyn yn wir!' gyferbyn ag ambell i honiad, a *'Humbug!'* mewn lle arall. Meddai:

> Mae'r erthygl yn (1) yn gamarweiniol (2) yn anghywir mewn amryw o bethau (3) yn 'illogical' — dywed fod y Cynllun yn farw ac eto mae'n ei wrthwynebu fel un byw (4) Mae yn sarhaus ac yn annheilwng o weinidog yr Efengyl.

Nid oedd dim personol ym meirniadaeth I. J. yn erbyn Curig Davies. Yn 1959 pan agorwyd Tŷ John Penry bu'n hael ei glod iddo yn *Y Dysgedydd:*

> Bydd Tŷ John Penry yn gofadail i weithgarwch diflino a dygnwch di-droi'n-ôl y Parchg. E. Curig Davies. Ef, yn anad neb, bioedd y weledigaeth ffyddiog a'r penderfyniad i'w gwireddu. Gellir dweud hyn heb yr amarch lleiaf i'r cyfeillion ereill a fu'n ddiwyd gyda'r cynlluniau. Hwy eu hunain fyddai'r parotaf i gydnabod y ffaith (Mai 1959).

Yn *Y Tyst* Ion. 17, 1963 ymddangosodd Llythyr Agored wedi ei arwyddo gan holl weinidogion Annibynnol Llanelli a'r cylch yn gwrthod y Cynllun ond yr un pryd

> . . . yn apelio at ddyblu cyfraniad yr eglwys o 1/6c. y pen y Drysorfa Gynorthwyol. Byddai hyn yn sicrhau £15,570 yn flynyddol . . . swm yn ogymaint â'r incwm blynyddol a gaffem ni fel enwad yn ôl cynllun Syr David.

Ond pan oedd y mwyafrif o eglwysi Annibynnol heb gyfrannu'r cwota a ddisgwyliad gan yr Enwad hyd yn oed, pa obaith oedd iddynt ychwanegu ato?

Yr oedd y pair yn berwi ond ymlaen yr âi Curig Davies â'r weledigaeth nes ennill cyfeillgarwch personol ac edmygedd Syr David. Mewn llythyr ato meddai:

> You are certainly getting down to some real business at last — ardderchog yn wir! It will be a great day when we can see all our wonderful preachers receive a minimum of £800 per annum. (Tach. 19, 1962).

Ac eto:

> Honestly, I don't know how I could go on without you, and I really mean it. Unwaith eto, diolch o galon i chwi am eich caredigrwydd.

Ac at bwy arall, tybed, yr ysgrifennodd Syr David eiriau fel hyn?:

> You must remember that you are one of the great men of Wales, and I know from various sources that you do some tremendous work. Keep it up at all costs (Rhag. 12, 1966).

Gwelir y berthynas gu ac agos rhwng y ddau yn cael ei hadlewyrchu yn neges Nadolig Curig Davies at y miliwnydd yn 1964, a dangos Curig, y bardd, yr un pryd:

Alaw lawen eleni –
Ar Ŵyl Iôn yr eiliwn ni.

Eiliwn i dad haelioni
Fu'n rhoi o'i rad fwy na rhi!

Llawn gras ei gymwynasau,
Hwn yw pen arwr ein pau.

I wŷr hen mewn anghenion
Am ei ras ef y mae'r sôn.

'R un gardod ni wrthoda
Na chais dyn at achos da.

Nawdd y nef a thangnefedd
Duw, fo i hwn hyd ei fedd.

Beth oedd cyfrinach y cyfeillgarwch clos tybed? Gwelodd y miliwnydd onestrwydd a didwylledd swyddog yr enwad mae'n sicr. Er i Curig Davies, ar y llaw arall, ymddangos i rywrai yn ddiniwed iawn, yr oedd yn ŵr craff a'i draed yn solet ar y ddaear.

*   *   *

Nid gyda miliwnydd yn unig y llwyddodd i ennill arian i goffrau'r Undeb. Dywedir i ŵr digon cyffredin yr olwg a'i wisg, – a *beret* am ei ben – gerddodd i'r swyddfa yn Abertawe yn 1962 a dweud yr hoffai gynorthwyo Cronfa Gweddwon yr Enwad trwy roi rhodd iddi. Cafwyd rhodd o £10,000 gan y cymwynaswr. Daethpwyd i'w adnabod fel 'Y cymwynaswr dienw'. Curig Davies yn unig a wyddai pwy oedd a pharchodd ddymuniad y gŵr i fod yn ddienw hyd at ei farwolaeth. Cafwyd sawl llythyr ganddo ac mewn un meddai: 'I am quite satisfied with your distribution of the money. I stress only strict anonimity', ac mewn llythyr arall meddai: 'I wish all my donations to be strictly anonymous even after my death'. O Bournemouth y deuai, a chafwyd gwybod mai mab i weinidog gyda'r Annibynwyr oedd y gŵr goludog; yn anffodus ni lwyddwyd i olrhain ei hanes ef.

Byddai ambell un yn cymharu ffyrdd dau ŵr goludog o weithredu . . .

*   *   *

Pan ddaeth tymor Curig Davies fel ysgrifennydd yr Undeb i ben, yr oedd yr ynni yn parhau a derbyniodd alwad i fod yn weinidog yn eglwys Henrietta Street, Abertawe (fel y gelwid hi bryd hynny), yn olynydd i'r Parchg. Rowland Evans, un o gewri'r pulpud yn y blynyddoedd hynny. Mewn teyrnged i'r cyn-weinidog ar ôl ei farw, meddai'r olynydd:

> Yr oedd cael gafael ar y gwirionedd yn bwysicach ganddo na bod yn uniongred. Ni wn i am neb â'i ffydd yn sicrach yn naioni Duw a threfn Foesol y byd. Yr oedd ganddo gydymdeimlad mawr â dynion mewn trybini, a digon o hiwmor i gau ei lygaid ar lawer o ddiffygion y natur ddynol.

Gallasai'r geiriau hyn fod yn wir am Curig Davies ei hun.

Gellir casglu oddi wrth y pregethau a adawodd ar ei ôl iddo ymdrafferthu'n gydwybodol i'w cyfansoddi a'u prif bwyslais ar Benarglwyddiaeth Duw ar ei fyd, y datguddiad terfynol yn Iesu Grist a lle dyn yn y cynllun dwyfol.

Darlledwyd gwasanaeth radio o Ebeneser, Abertawe ar Ebrill 23, 1952 a chafodd Curig Davies a arweiniodd y gwasanaeth nifer fawr o negeseuon o bob rhan o Gymru yn diolch iddo am y gwasanaeth. Mae'r dyfyniadau isod o rai ohonynt yn mynegi'r gwerthfawrogiad hwnnw:

> Llawn o rym a rhin yr Atgyfodiad. Mawr oedd awyrgylch a neges y gwasanaeth a arweiniwyd gennych yn rasol a graenus . . .'
>
> (Samuel Williams, cyn-weinidog Siloh, Glandŵr, Abertawe).

> Yr oedd gennych neges fawr . . .
>
> (W.J. Rees, gweinidog yr Alltwen, Pontardawe).

Cafwyd negeseuon gan hen gyfeillion a chyn-aelodau yn ei hen eglwysi:

> 'Well done, Curig bach!, y gorau eto: gwasanaeth a'r bregeth yn odidog. Anhawdd fydd curo neges heddi yn ei naws a'i phrydferthwch. Mwynhad anesboniadwy oedd gwrando . . .'
>
> (James a Mrs. Davies neu 'Siams Dafi' Pentregalar).

Dyma fel yr ysgrifennydd cyn-aelod o Gydweli:

> Cefais wledd ysbrydol . . . Nid anghofiaf rai o'ch dywediadau, sef fod y cledd yn concro ond fod llwybr y Groes yn ein gwneud yn fwy na choncwerwyr . . . Er fod y blynyddoedd wedi mynd heibio nid wyf wedi eich anghofio na'r caredigrwydd a gefais gennych a benthyg llawer llyfr a chael rhai hefyd yn y dyddiau gynt pan oeddech yng Nghydweli . . .
> Sally—ond Sally aeddfetach na chynt.

*   *   *

Yn 1965 fe'i hanrhydeddwyd trwy ei ddewis yn Gadeirydd Undeb yr Annibynwyr Cymraeg a thraddododd ei anerchiad yng nghapel Heol Awst, Caerfyrddin gan mai yn y dref honno y cynhaliwyd yr Undeb. 'Efengyl Iesu Grist — a'r Byd Heddiw' oedd testun ei anerchiad o'r Gadair, a oedd yn nodweddiadol o un a fu byw ei broffes o gyplysu'r Efengyl â bywyd bob dydd. Sylw golygydd *Y Tyst,* y Parchg. E. Lewis Evans yn ei adroddiad o'r Undeb yn y papur hwnnw am yr anerchiad oedd:

> Bu ei lygad yr hyd y ffordd ar y byd fel y mae, a'r galw am feddyg i'w glwyfau. Traethaid gwir 'ymarferol'.

Gorffennodd ei anerchiad trwy ddweud 'y gwelir pwrpas i fywyd ym marw Iesu Grist yn dewis bod yn ddiallu . . . Symbol Cristnogaeth yw'r groes a'i hystyr yw gwasanaeth, ymgysegriad ac aberth' ac yna dyfynnu'r emyn i orffen:

> Disgleiried golau'r Groes
> I ddyfnder tlodi'r dyn
> Gan ddangos gobaith dod trwy'r loes
> Ar ddelw Duw ei Hun:
> Gogoniant byth i'r Oen
> Ar aur delynau'r nef,
> Ei groes sy'n gwella'r byd o'i boen —
> Gogoniant iddo Ef.

Ni ddywedai'r gwrandawyr, mae'n debyg, iddynt gael anerchiad 'mawr', 'bythgofiadwy' ac nid oes sôn yn yr adroddiad am y gynulleidfa fawr yn sefyll ar ei thraed ar ddiwedd y traethiad fel y digwydd ar adegau. Ond pa guro dwylo a ddisgwylid wrth sôn am y Groes? Gofynnai'r siaradwr am 'wasanaeth, ymgysegriad ac aberth', rhinweddau y gwyddai'r llefarwr yn iawn amdanynt yn ystod ei fywyd. Gofynnai'r neges am fwy na churo dwylo byddarol mewn capel llawn ar noson o Fai.

*　　　*　　　*

Gwelir enghreifftiau o'i waith fel bardd yn y gyfrol hon. Gallesid yn hawdd fod wedi casglu digon o'i gerddi i wneud mwy nag un gyfrol ohonynt. Roedd yr anian farddol ynddo yn gynnar, ac yn ystod ei flynyddoedd cynnar yn y Weinidogaeth bu'n gystadleuydd cyson mewn eisteddfodau. Cafodd Urdd Derwydd er anrhydedd gan yr Orsedd am ei gyfraniad mawr i lenyddiaeth Cymru. Crisialodd ei bortread o fardd yn ei soned 'Y Bardd';

Rhwydodd brydferthwch daear yn ei gân,
  Distylliodd liwiau'r blodau'r byd i'w gerdd;
Hudodd y mellt i'w allor aur yn dân,
  Blysiodd orfoledd gwallgof coedwig werdd.

Ei adain feiddgar weithiau'n 'sgubo'r llawr
  Ar gylch ei antur heibio i'r sêr a'r lloer;
Golchodd ei ddwylo yng ngoleuni'r wawr,
  Canodd ei gerddi mewn gaeafau oer.

Cans anturiaethwr medrus oedd y bardd,
  A chyfoeth ei feddyliau fel y môr;
Casglodd felyster bywyd o bob gardd,
  Curodd â llaw grynedig wrth bob dôr.
Heliodd freuddwydion claer â'i farddol nwyd,
A daliodd eu gogoniant yn ei rwyd.

Dengys rhestr faith ei gyhoeddiadau ar ddechrau'r gyfrol hon ei ymroddiad egnïol i'r gair ysgrifenedig mewn rhyddiaith yn ogystal â barddoniaeth. Nid ar chwarae bach y gellid llwyddo i gasglu deunydd am ugain mlynedd i *Dywysydd y Plant* ac i'r *Cyfarwyddwr* am wyth mlynedd heb sôn am y gwaith ymchwil a oedd yn angenrheidiol i ysgrifennu hanes John Williams, y cenhadwr yn *Y Morwr a'r Merthyr* a'r deunydd i'r llyfrau eraill, y llyfrynnau ar' pamffledi a enwir. Gwelir oddi wrthynt—a'r talfyriadau o *Enoc Huws* a *Gwen Tomos* er enghraifft—mai gwaith ar gyfer plant a ieuenctid oedd hwn yn bennaf. Ei awydd mawr oedd cadw ieuenctid o hyd o fewn cylch yr Eglwys: dyna paham nad oedd yn or-frwdfrydig i hybu gwaith yr Urdd yn y blynyddoedd cynnar, am y tybiai ef y byddai'n 'cystadlu' â'r Eglwys ac yn denu'r ifanc o'r capel. Ei syniad aruchel am natur Eglwys oedd tu ôl i'r dadleuon hyn ganddo. Ond nid ar wahân i fywyd bob dydd, yn sicr y dylai Cristnogaeth gapelol fod. Meddai unwaith am yr emyn 'Yn dy waith y mae fy mywyd . . .'—'. . . emyn cwrdd gweddi, heb lawer o ystyr iddo fan honno, oblegid nid fan honno mae'r gwaith yn cael ei wneud ond yn y ffatri, yn y labordy, yn y gweithdy yng nghanol y peiriannau a'r cyfrifiaduron, eu troi i gyd i bwrpas. Dwyn masnach a diwydiant yn ôl i gylch moesol ac i wasanaethu dynoliaeth ac ychwanegu at gysur pobl ar y ddaear ac nid er mwyn elw . . .' Iddo ef nid oedd ystyr i eglwysyddiaeth ar wahân i fywyd.

Gwerthfawrogid ei waith gan yr ifainc eu hunain ar dro. Ymhlith papurau Curig Davies yr oedd wedi cadw llythyr gan fachgen un ar bymtheg oed a ysgrifennodd fel hyn ato ar ôl derbyn côpi o *Gwybod* (1939):

Annwyl Syr,

Anfonaf air bach i ddiolch yn fawr am gael misolyn Cymraeg fel 'Gwybod' allan o'r Wasg. Dyma'r llyfr yr wyf wedi bod yn disgwyl amdano ond ni ddaeth neb i lenwi'r bwlch tan y daeth 'Gwybod'.

Pob llyfr Cymraeg ymron a welais, maent i gyd yn 'dduwiol' fel y buasem yn ddweud. Hanes yr oes o'r blaen sydd ynddynt—ran amlaf pregethwyr mawrion neu rywbeth ynghlwm wrth yr Eglwys. Yn sicr nid yw'r oes hon yn mynd i ddarllen pethau fel yna yn Gymraeg tra y cânt bethau o'u bodd gwell o lawer o Saesneg.

Felly ymbiliaf arnoch i beidio â dilyn yr hen ffordd o ddod â llyfrau allan i'r werin . . .

Yn anffodus, collwyd rhan olaf y llythyr ac ni chafwyd nac enw na chyfeiriad yr ymbiliwr taer. Yr oedd Curig Davies a'i gydolygydd Tom Parry (Yr Athro ar ôl hynny) yn ddigon ifanc eu hysbryd i wrando ar y cais.

*   *   *

Ni chyfyngodd Curig Davies ei weithgarwch i'w enwad ei hun, ond ymdaflodd yn egnïol i waith cydenwadol a chydeglwysig. Mae'n anodd gwybod sut y darganfu amser i wneud hynny. Bu'n drefnydd Cynhadledd Flynyddol Gydenwadol yr Ysgol Sul am 23 o flynyddoedd, yn ysgrifennydd Pwyllgor Cydenwadol yr Ysgol Sul am 25 o flynyddoedd ac yn gyd-Ysgrifennydd Cyngor Eglwysi Cymru am nifer o flynyddoedd. Mewn teyrnged iddo am ei waith ar Bwyllgor Cydenwadol yr Ysgol Sul meddai'r Cadeirydd, y Parchg. G. Wynne Griffith:

Yn y gwaith hwn bu'n ddiwyd ac ymroddedig a dangosodd ei fedr arferol. Bu'n gyfrifol am ofalu ac argraffu a chyhoeddi llawer o lyfrau, yn enwedig ar gyfer plant. Byddai'n werth i rywun wneud ymchwil trwyadl i'r llenyddiaeth a gyhoeddwyd ac a ddosbarthwyd gan y Pwyllgor Cydenwadol. Pe gwneid hynny gwelid fel y bu i Mr. Curig Davies ran helaeth, onid yr helaethaf yn y gwaith . . .

Meddai'r Parchg. J. Haines Davies, ei olynydd yn y swydd:

Roedd ganddo weledigaeth a 'does dim amheuaeth nad oedd ef, gyda chymorth ei annwyl briod, yn arloeswr ym myd addysg grefyddol. Gorchestwaith oedd darparu a chyhoeddi *Cyfres y Grisiau.* Roedd yn garreg-filltir bwysig yn natblygiad y ddarpariaeth Gristnogol Gymraeg i blant Cymru . . . Ni chredaf hyd yn oed i'w enwad ei hun sylweddoli cymaint ei gymwynas . . . Yn sicr nid yw Cymru wedi sylweddoli maint ei gyfraniad aruthrol i dywys cenedlaethau o blant yn arbennig at wefr a rhamant gwersi cyntaf yr Ysgolion Sul.

(mewn llythyr 16.7.1990).

*   *   *

Cyfraniad crwn felly oedd ei gyfraniad, heb aberthu ei argyhoeddiadau fel Annibynnwr.

'Nid yw Cymru wedi sylweddoli . . .' meddai J.H.D. wrth gyfeirio at ei waith ar gyfer ieuenctid, ond rhan o'r gwaith yn unig oedd hwnnw. Gobeithiwn y bydd y gyfrol hon yn gymorth i'w ddarllenwyr o leiaf sylweddoli maint y cyfraniad hwnnw.

'Nhad

EDNYFED HUDSON DAVIES

Cyn ceisio dwyn i gof rai atgofion personol am fy nhad, neu'n hytrach yn wir am fy rhieni, fe garwn ddiolch i bawb a fu'n ymwneud â pharatoi'r gyfrol deyrnged hon. Yn ogystal â'n gwerthfawrogiad i awduron yr erthyglau, yr ydym fel teulu yn arbennig ddiolchgar i'r Parchg. Huw Ethall am ei ymdrechion di-flino wrth gasglu ac adolygu'r cynnwys. Heb ei ymroddiad llwyr ef, ni ellid bod wedi paratoi cyfrol o'r fath. Carwn ddiolch hefyd i'r Parchg. Derwyn Morris Jones ac i'r Undeb ac i Wasg John Penry am eu hymroddiad yn y gwaith o argraffu a chyhoeddi'r llyfr.

*   *   *

A minnau'n blentyn yng Nghydweli yn y tridegau, roedd yr ieir a grwydrai'r ardd yn Nhresul (mans Capel Sul) yn clwydo'r nos, mi gofiaf, yn sgerbwd hen fodur tair olwyn, dwy sedd a dici bŵt. Hwn fu cyn fy ngeni yn gar y teulu, cyn iddo chwythu'i bwff olaf a chael ei ddisodli gan *Austin 7.* Byr ei anadl fu'r car hwnnw o'r cychwyn, a'i brif orchwyl fu cludo fy nhad bob Sul i Fynydd y Garreg ac i Lansaint, at y ddwy eglwys oedd dan ei ofal ynghyd â Chapel Sul, Cydweli. Cyrraedd Llansaint oedd y sialens i'r car gan fod rhaid dringo rhiw anghyffredin o serth allan o Gydweli cyn mynd lawr yr ochr arall i Lansaint. Dwy gêr flaen yn unig oedd gan y modur, a phan na fyddai hwyliau arno, roedd hyd yn oed yr isaf o'r ddwy gêr yn annigonol i ddringo'r tyle. Fodd bynnag, sylweddolodd fy nhad fod y gêr rifyrs yn is eto, a bod modd perswadio'r car i ddringo'r rhiw trwy fynd tuag yn ôl. Golygfa gyffredin ar y Sul oedd gweld y Parchedig Curig Davies, yn ei het fowler a'i *wing collar* yn rifyrsio'i ffordd i bregethu'r efengyl.

Ac felly rwy'n ei gofio ym mhob agwedd o'i fywyd, yn y cartref yn ogystal ag yn ei waith. Prin y gallai dderbyn y medrai unrhyw beth ei rwystro. Roedd ganddo gred ddisyfl fod modd cyflawni popeth a oedd angen ei gyflawni, ac os nad oedd modd cyrraedd yr amcan trwy'r ffordd rwydd ac amlwg, yna'n sicr roedd bownd o fod rhyw ffordd arall i gyrraedd y nod.

Roedd ynddo ysfa ddiflino i wneud pethau ac i newid pethau. Ei gyfraniad mawr yng Nghydweli oedd cael adeilad newydd i'r capel.

Roedd yr hen gapel beth ffordd y tu allan i Gydweli ac o faint mwy priodol i bentref nag i'r dref oedd wedi tyfu gyda ffyniant y diwydiant alcam. Yn sydyn daeth plasty ar werth yng nghanol y dref gyda gerddi sylweddol o'i amgylch. Perchennog y tŷ oedd Harold Greenwood a safodd ei brawf ar gyhuddiad o lofruddio'i wraig ond fe'i dyfarnwyd yn ddi-euog ar ôl cael ei amddiffyn gan y bargyfreithiwr enwog Marshall Hall. Wedi'r holl gyhoeddusrwydd penderfynodd Greenwood adael yr ardal a gwelodd Curig y byddai modd troi'r tŷ yn gapel. Tasg amhosibl ar yr olwg gyntaf, ond cafwyd pensaer oedd yn barod i dderbyn y sialens.

Clywais fy nhad yn aml yn adrodd y stori am un o'i sgyrsiau gyda Greenwood, ac iddo gyfeirio at y ffaith fod pobl yr ardal yn dweud fod ffynnon yn seleri'r tŷ ac y gallai hynny fod yn broblem. 'If everything people say were true, Mr. Davies,' meddai Greenwood, 'I would have been hanged long ago.' Fe brynwyd y tŷ ac fe'i gwnaed yn gapel ardderchog, gyda'r festri ar y gwaelod, a'r capel ei hun ar y llawr nesa' i fyny—yr unig gapel â'i lawr i fyny'r grisiau! Chwarddodd Curig lawer wrth adrodd y stori am y diaconiaid ac yntau rhyngddynt yn dewis lliw i beintio'r seddau. 'Neis iawn,' meddai'r pensaer, 'lliw dom llo bach', ac ar ôl hynny fe adawyd y dewisiadau esthetig yn nwylo mam a'r pensaer!

Pan symudodd i Ebeneser, Bangor, roedd llai o gyfle i newid pethau. Roedd yr adeilad yn addas a'r achos a'r gynulleidfa yn sylweddol a sefydlog. Gweithiodd fy nhad a mam yn ddibaid i fywiogi bywyd yr eglwys, yn enwedig trwy weithio gyda'r plant a denu myfyrwyr y colegau i ddod yn rhan o gymdeithas y capel, a bu hynny'n llwyddiannus iawn. Ond roedd ganddo lawer o ynni sbâr ac ymroddodd at ysgrifennu. Cyhoeddodd nifer o lyfrau yn ystod ei ddeng mlynedd ym Mangor a derbyniodd olygyddiaeth *Tywysydd y Plant* ac ef a mam oedd yn gyfrifol am ran helaeth o'r cynnwys.

Credai mai unig werth iaith oedd y defnydd a wnaed ohoni, ac yn ei dyb ef y defnydd gorau oedd hyfforddi ac esbonio. Daeth yn gyfeillgar gyda Thomas Parry, a oedd ar y pryd yn ddarlithydd ifanc yn Adran Gymraeg Coleg y Brifysgol, a rhyngddynt dyma gynllunio a chyhoeddi *Gwybod; Llyfr y Bachgen a'r Eneth* fel cylchgrawn i blant ar linellau tebyg i *The Children's Encyclopaedia* Arthur Mee, wedi ei gyhoeddi'n fisol gyda golwg ar rwymo pob deuddeg yn gyfrol. Un gyfrol lawn yn unig a gyhoeddwyd cyn i'r rhyfel roi terfyn ar y cynllun.

Rwy'n cofio'n dda am weithgarwch y cyfnod hwnnw. Cyfarfod

plant neu rihyrsal drama yn y capel gyda'r nos hwyrach, ac yna Tom Parry yn dod heibio ar ôl swper, noson ar ôl noson, a'r ddau yn gweithio ar broflenni *Gwybod* hyd oriau mân y bore ac yna'n aml fy nhad yn codi'n gynnar i wneud awr neu ddwy o waith yn yr ardd cyn brecwast. Nid oedd arno angen ond ychydig iawn o gwsg.

Prin y medraf gofio amdano erioed yn hamddena. Bob munud effro roedd yn brysur yn gwneud rhywbeth neu'i gilydd. Hyd yn oed adeg gwyliau (ac roedd hynny'n golygu aros gyda ffrindiau neu deulu) roedd wrthi'n ddi-ball yn ysgrifennu neu'n ymweld â chartref un o enwogion Cymru neu'n tynnu lluniau ar gyfer *Tywysydd y Plant* neu rhyw gyhoeddiad arall. Gwastraffu amser oedd y drosedd fwyaf yn ei olwg a bûm yn aml yn wrandawr anfodlon ar lawer pregeth deuluol ar y thema hon, a'r rhyfeddod yw fy mod erbyn hyn fy nghlywed fy hun yn traddodi doethinebau cyffelyb wrth gynghori fy mhlant innau.

Ond ar ôl dod i Abertawe, yn Ysgrifennydd yr Undeb, y daeth ei gyfle mawr i greu rhywbeth newydd a sylweddol, ond yn aml trwy ddefnyddio dulliau anghonfensiynol. Nid dyma'r lle i ailadrodd stori trawsnewid y *Bookroom* yn Abertawe a etifeddodd pan ddaeth i'w swydd newydd ym 1943. Ond mae'n werth nodi mai un o'r pethau cyntaf a wnaeth oedd dechrau ehangu maes cyhoeddiadau'r Undeb gan roi cryn dipyn o waith i sawl gwasg argraffu yn Abertawe. Y diffyg mwyaf oedd prinder papur yn y cyfnod o gyni a chwotas ar ôl y rhyfel. Doedd dim amdani ond mynd yn rheolaidd i Lundain i'r *Ministry of Supply* i geisio perswadio'r swyddogion yn y fan honno fod angen mawr am bapur i gyhoeddi llyfrau a chylchgronau crefyddol Cymraeg. Erbyn hyn roedd *Homburg* wedi cymryd lle'r bowler ond y *wing collar* yn para'n rhan o'r drefn. Anodd fyddai dychmygu unrhyw un mwy annhebyg o lwyddo gydag uchel swyddogion Whitehall. Ond nid felly y bu hi. Fe lwyddodd i daro rhyw nodyn gyda'r canlyniad iddo gael cwota am lawer mwy o bapur nag a fedrai'r Undeb ei ddefnyddio ac fe fedrodd ddosbarthu toreth o papur i argraff-wyr Abertawe a'r cylch trwy gydol y blynyddoedd o brinder.

Mae rhai o'r cyfraniadau eraill yn y casgliad hwn yn sôn am sefydlu'r Siop Lyfrau Gymraeg yn hen adeilad y *Bookroom* yn Northampton Place ac am y wasg argraffu yn Llanelli ac am greu Tŷ John Penry a Gwasg John Penry fel *Phoenix* yn codi o adfeilion Capel Saesneg St. Helen's Road a ddinistriwyd yn y bomio adeg y rhyfel. Y peth oedd yn amlwg i mam a minnau gartref oedd fod ei gynlluniau yn hollol glir yn ei feddwl ac ar y aelwyd y byddai'n mynd dros y dadleuon y bwriadai eu defnyddio wrth ddelio gyda gwrthwynebwyr ei syniadau. Ei dechneg yn aml mewn pwyllgorau ac hyd yn oed yng nghyfarfodydd yr Undeb oedd mynd yn ôl ac yn ôl dros ei argymhellion nes blino'r rhai oedd yn eu gwrthwynebu, ac o ganlyniad yn ennill ei bwynt. Daeth llawer a fu yn amheus ynglŷn â rhai o'i gynlluniau mwyaf chwyldroadol yn ôl ato'n ddiweddarach i ddweud mai ei weledigaeth ef oedd yn iawn wedi'r cyfan.

Roedd mam o hyd yn barod i gyfrannu syniadau ac i wneud oriau o waith yn cywiro proflenni neu ymgymryd â rhyw ymchwil arbennig i'w gynorthwyo. Roedd hyn fel arfer mewn awyrgylch o lawer iawn o chwerthin a thynnu coes a mam yn dweud yn aml nad oedd amser i ddim yn ein tŷ ni ond pethau'r 'Umbad' – jôc deuluol yn tarddu o gam-ynganiad rhywun neu'i gilydd. Fe ddywedodd fy nhad lawer gwaith na fedrai neb byth sylweddoli maint ei ddyled i mam, na faint yr oedd yn dibynnu ar ei chefnogaeth a'i chymorth.

Yr oedd weithiau yn or-fanwl ynglŷn â phethau, a phan fyddai hyn yn digwydd byddai mam yn cyfeirio at 'fws Ifan Afan'. Yn y dyddiau cynnar yng Nghydweli roedd y Parchg. Ifan Afan wedi bod yn pregethu yn y cyrddau mawr yng Nghapel Sul ac wedi aros gyda ni yn Nhresul. Adeg brecwast y bore wedyn gofynnodd beth oedd amser y bws i fynd yn ôl i Gaerfyrddin. Aeth fy nhad i chwilota a dod yn ôl a dechrau dweud fod un am hanner awr wedi naw ac un arall am bum munud wedi deg ac yn y blaen. 'Mr. Davies' meddai Ifan Afan, 'fe fydd un yn ddigon i mi.' A byth wedyn bws Ifan Afan oedd y symbol am gadw pethau'n syml!

Roedd fy nhad yn aml fel petai ei feddwl ymhell yn rhywle arall, ac weithiau wrth adrodd stori roedd y cyfeiriad wedi ei golli'n llwyr cyn dod i'r terfyn, ac hyd yn oed ail hanner brawddeg yn aml yn mynd ar goll. Ac eto mewn gwrthgyferbyniad roedd ei bregethau yn glir a phendant, fel petai personoliaeth wahanol yn dod i'r wyneb yn y pulpud. Yn yr un modd, yn yr hyn a ysgrifennai roedd o hyd yn gywir a chryno ac yn dangos meistrolaeth ar ei bwnc.

Roedd yr un math o wrthgyferbyniad i'w weld yn ei anghofrwydd ynglŷn â rhai pethau ac ar lefel arall gallu anghyffredin i ddwyn pethau i gof. A ninnau'n byw yn yr Uplands yn Abertawe, lawer tro aeth i'r dre yn y car a cherdded yn ôl gan anghofio ei fod wedi mynd yn y car o gwbl, ac yna'n gorfod mynd heibio pobman lle'r oedd wedi galw, i weld os oedd wedi gadael y car yno. Ond wrth ymwneud â syniadau, medrai ddwyn i gof rhywbeth yr oedd wedi ei ysgrifennu neu wedi'i ddarllen neu'i glywed flynyddoedd cyn hynny. Rwy'n

27

cofio dod yn ôl o'r Coleg yn Abertawe rhyw gyda'r nos a dweud fod gennyf draethawd i'w ysgrifennu ar agwedd ar waith yr athronydd Emmanuel Kant. Ei ymateb oedd dweud 'O, fe ysgrifennais i draethawd ar yr union bwnc yna, ac os ydw i'n cofio,' meddai, 'y peth ddywedais i oedd . . .' a dyna fynd yn fanwl dros yr hyn oedd wedi ei ysgrifennu pan oedd yn fyfyriwr dros bum mlynedd ar hugain yn gynharach. Yna mynd i chwilio am y traethawd (ar hyd ei oes fe gadwodd bron bopeth a ysgrifennodd); dod o hyd iddo, a darganfod ei fod wedi cofio'r cynnwys bron air am air. Fel finnau, roedd wedi darllen Cymraeg ac Athroniaeth, a chefais lawer enghraifft o'r gallu yma i gofio.

Roedd y ffordd yr aeth ati i raddio ynddo'i hun yn ddiddorol. Ar ôl gadael yr ysgol bu am flwyddyn yn brentis saer, cyn mynd i goleg rhagbaratoadol, *The Old College School,* yng Nghaerfyrddin ac oddi yno i'r Coleg Presbyteraidd. Ar ddiwedd ei dair blynedd yno fe'i gwahoddwyd gan yr Athro Dawes Hicks, yr arholwr allanol, i fynd fel myfyriwr i Goleg Mansfield yn Rhydychen. Ac yna darganfuwyd ei fod yn dioddef oddi wrth y dicáu, ac roedd hyn yn esboniad ar lawer o'i anhwylder iechyd yn ddyn ifanc. Bu'n rhaid iddo wrthod y gwahoddiad i fynd i Rydychen, a'r meddyg yn annog ei anfon i sanatoriwm. Bach oedd ffydd mamgu y deuai yn ôl yn fyw o le felly, a chan mai awyr iach a bwyd da oedd hanfod y driniaeth feddygol y pryd hynny, penderfynodd ei gadw gartref. Tynnwyd ffenestr y llofft allan yn llwyr yn Aberdyfnant, y ffrâm a'r cwbwl, ac am ddwy flynedd bu'n byw ar fenyn a wyau, ac fe giliodd y TB.

Erbyn hyn roedd yn rhy hwyr i fynd i Rydychen ac fe dderbyniodd alwad i Berea, Bynea, a hyn heb raddio mewn prifysgol. Yna galwad i Gydweli a chyfarfod mam, oedd ar y pryd yn athrawes Gymraeg yn Ysgol Ramadeg Merched Llanelli, yn nhŷ D.J. Davies ac Enid, Capel Als. Priodi a symud i fyw i'r mans newydd, Tresul, adeilad a fu unwaith yn stablau hen blasty Greenwood cyn sefydlu Capel Sul yno. Fe ymroddodd y ddau yng ngwaith yr eglwys. A mam wedi graddio mewn Cymraeg ym Mangor flynyddoedd yn gynharach, teimlodd fy nhad fwy fyth y golled o fod wedi gorfod gwrthod y cyfle i fynd i Rydychen. Penderfynodd gofrestru yng Ngholeg y Brifysgol yn Abertawe, ac ar ôl tair blynedd o deithio dyddiol ar y trên, derbyniodd ei radd, a hyn i gyd tra'n gwneud llawn gyfiawnder â'i gyfrifoldeb fel gweinidog tair eglwys.

Roedd hyn eto yn enghraifft o'i gred syml fod popeth yn bosibl. Cyfeiriais at ei gyfnod o brentisiaeth fel saer pan oedd yn fachgen ifanc ac fe barodd i fod yn fedrus ac yn hylaw mewn unrhyw waith llaw. Un peth a'i nodweddai, fel ei frawd Tegryn, oedd y sicrwydd fod pethau mecanyddol, pa mor gymhleth bynnag yr oeddynt yn ymddangos, yn y bôn yn syml. Hwyrach i mi fynd ymhellach i'r cyfeiriad hwnnw nag a wnaeth ef, ond iddo ef yn bendant yr wyf yn ddyledus am ddeall nad oes *mystique* mewn pethau technegol a mecanyddol. Ac felly hefyd yr oedd yn amgyffred y byd o'i amgylch a hyd yn oed y bydysawd. Annerbyniol ganddo oedd y syniad fod Duw yn ymyrryd yn ei greadigaeth; o ddeall popeth, byddai esboniad rhesymol i bopeth. Roedd elfen o resymoliaeth yn ei athroniaeth bersonol, ond nid oedd hyn yn wrthwynebol i'w syniadau crefyddol gan na fedrai feddwl am Dduw ond fel bod rhesymol a'i greadigaeth yn rhesymol.

Credai fod tynged y ddynoliaeth yn dibynnu ar y ddynoliaeth ei hun. Iddo ef, rhywbeth hollol ymarferol oedd ei ffydd grefyddol, ac nid oedd ganddo amynedd â'r syniad fod cred yn bwysicach na gweithred. Credai fod perygl ailadrodd y geiriau 'Er mwyn Iesu Grist' yn rhy fynych o lawer, ac anwybyddu'r ffaith mai hanfod neges Iesu o Nasareth, fel y credai, oedd pwysigrwydd ymdrechu er mwyn pobl. Roedd yn gas ganddo wastraff o unrhyw fath. Pregethodd lawer am anfoesoldeb gwastraffu adnoddau mewn byd lle'r oedd prinder a newyn, a chas hefyd oedd ganddo unrhyw fath o anghyfiawnder. Yn hyn o beth yr oedd yn sosialydd, ond ei fod yn seilio'i sosialaeth ar y gred mai'r peth oedd yn gwneud dynion yn frodyr i'w gilydd oedd eu bod yn blant i Dduw. Byddai'n fynych yn dechrau cyfraniad yn y Fraternal gyda'r geiriau, 'Wel, cymrwch chi Rwsia nawr . . .' Bu farw ymhell cyn i'r byd sylweddoli mor bell yr oedd Rwsia oddi wrth y ddelfryd frawdol yr oedd ganddo gymaint ffydd ynddi. Ond ta waeth am hynny, mae'r ddelfryd o ddyletswydd dyn tuag at ei gyd-ddyn yn para.

Yr oedd yn dad anghyffredin o annwyl ac yn ddiflino yn ei awydd i wneud popeth fedrai dros mam a minnau. Roedd mam ac yntau yn gyson brysur ynglŷn â gofalon eglwys ac Undeb, y ddau yn llenydda a barddoni, yn ysgrifennu a chyhoeddi, ond ar yr un pryd yn barod i roi cymorth gydag unrhyw waith ysgol neu goleg. Ni fedraf ddychmygu aelwyd gyda mwy o gariad a chynhesrwydd a chwerthin a llawenydd yn perthyn iddi. Ar ôl i mi adael cartref, prin yr aeth diwrnod heibio heb i ni siarad â'n gilydd ar y ffôn a rhannu newyddion a phrofiadau.

Bu'r ddau fyw i oed mawr ac hyd yn oed yn eu blynyddoedd olaf roeddynt yn para'n brysur gyda phob math o ddiddordebau. Yr oeddwn bob amser wedi dibynnu llawer ar y ddau am gymorth gydag ymchwil ar wahanol faterion, ac ar mam yn arbennig am gymorth gyda chywiro proflenni. Pan oeddwn yn ceisio cofio manylion neu ddyddiad rhyw ddigwyddiad gwleidyddol neu ryngwladol, y ffordd hawsaf oedd codi'r ffôn a gofyn i mam, gan ei bod hi'n cadw'r pethau hyn i gyd ar ei chof. Fel y dechreuodd ei golwg wanhau bu'n rhaid iddi ddefnyddio chwyddwydr i ddarllen, ond eto roedd yn llwyddo i fynd trwy bron bob llinell o'r *Times* bob dydd. Hyd ei dyddiau olaf fe barodd i fwynhau cywiro proflenni, gyda chywirdeb trylwyr, a hithau dros ei deg a phedwar ugain oed. Hyd y diwedd roedd ei meddwl mor glir, ei chof mor effro a'i hiwmor mor fyw ag erioed.

Ar hyd ei oes bu gan fy nhad ddiddordeb mawr mewn garddio. Roedd ganddo ardd ym Mangor ac yna lotment yn Abertawe, ac mae dwy stori ynglŷn â'r lotment all ddweud llawer iawn am y dyn ei hun.

Ar ôl bod yn trin y lotment am rai blynyddoedd fe ddaeth â phlanhigion mwyar o rywle un gwanwyn a'u plannu ar ddarn o'r tir. Parodd hyn gryn bryder i'w gyd-lotmentwyr, a daeth depiwtasiwn ato i ofyn iddo gael gwared o'r mwyar gan fod pawb yn awyddus i gadw'r drain allan yn hytrach na'u cymell. Gwrthododd yn bendant, a bu'n rhaid iddo ddioddef cryn dipyn o rwgnach pan dyfodd y mieri'n blanhigion mawr yn ystod yr haf. Ond pan ddaeth yr hydref roedd y drain yn drwm gan fwyar mawrion melys na welodd neb eu tebyg, a'i gymdogion ar y lotments yn awr pob un gyda'i bowlen yn gofyn am ran o'r ffrwyth.

Ac felly bu pethau ar hyd ei oes. Mewn llawer maes a llawer cyswllt doedd dim prinder pobl i gwyno ei fod yn plannu mieri. Ond fel arfer, yng nghyflawnder yr amser roeddent yno yn derbyn siâr yn y cynhaeaf.

Pan oedd wedi heneiddio ac wedi ymddeol o bron bopeth ond y lotment, roedd yn ei chael yn anodd i grymu ac i agor rhych ac fe wnaeth ei gymdogion lawer o'r gwaith drosto. Un prynhawn, tra'r oedd yn paratoi i blannu rhes o dato, galwodd y Parchg. F.M. Jones heibio i'w weld, a chynnig rhoi tipyn o help iddo. 'Wel, os gallwch chi agor rhych a phlannu'r rhain i mi, fe fyddwn i'n ddiolchgar' meddai, 'ond pidwch poeni gormod am i câl nhw'n syth, tato dwi eisie, nid rhes.' A dyna grynodeb go dda o'i agwedd at fywyd.

E. Curig Davies (1935-1964)

R. TUDUR JONES

Cynhaliwyd y cyfarfod i sefydlu'r Parchg. Curig Davies yn Ebeneser, Bangor, ar 13 Mawrth 1935. Llywyddwyd y cyfarfod gan ei ragflaenydd, Ellis Jones (1861-1945), a oedd wedi ymddeol ond yn dal i fyw ym Mangor. Yr oedd yr arwyddion o dan ofal y Prifathro John Morgan Jones ac ef hefyd a offrymodd yr urdd weddi. Yr oedd cefnder Curig, y Parchg. D.J. Davies, Capel Als, Llanelli, yn annerch ar 'Gwaith y Weinidogaeth' a chafwyd cyffyrddiad braidd yn anghyffredin yn dilyn hynny gyda Syr John Edward Lloyd yn traethu ar 'Y Gwrandawr'. Yng nghapel Saesneg Glanrafon yr oedd Syr John yn aelod ond ar y pryd ef oedd Cadeirydd Undeb yr Annibynwyr a dyna mae'n siŵr, pam y cymerai ran.

Mewn gwirionedd cynhaliwyd cyfres o gyfarfodydd i ddathlu'r sefydlu. Ar y Sul yr oedd un o blant yr eglwys, Mihangel ap Rhys, ŵyr i Michael D. Jones, yn pregethu a chynhaliodd gyfarfod i'r bobl ifanc nos Lun. Ar ôl y sefydlu ddydd Mercher, cafwyd cyfarfod croeso brwdfrydig gyda'r nos yn festri Caellepa, rhywbeth tebyg i noson lawen o ran ei rhaglen. Ac i goroni'r cwbl cafodd y plant 'drêt' (chwedl *Y Tyst*) nos Iau.

Tua 230 o aelodau oedd yn Ebeneser pan aeth yno, gyda 145 ar lyfrau'r Ysgol Sul. Yr oedd digon o waith o ganlyniad yn aros y gweinidog newydd. Un peth a oedd yn rhoi arbenigrwydd i oedfeuon Ebeneser oedd fod traddodiad y gerddorfa'n parhau. Yr oedd cerddorfa yn yr hen Ebeneser ymhell cyn 1859. Y codwr canu cyntaf oedd William Eardley ac fe'i dilynwyd ym 1837 gan Hugh Davies, Tŷ Capel. Gan fod côr yno'n ogystal â cherddorfa, daeth canu Ebeneser i fri mawr. Pan soniwyd am gael harmoniwm yn amser Ap Vychan (rhwng 1855 a 1873), bu gwrthwynebiad gan Gweirydd ap Rhys a'i ffrindiau — a pham cael organ o fath yn y byd gan fod cerddorfa ar gael? Nid oedd Ap Vychan o blaid cael offeryn chwaith ac ar ôl pasio'r penderfyniad i gael un, ei sylw wrth y gynulleidfa oedd, 'Hwyrach y byddai gystal ichwi fynd ymlaen i brynu mwnci!' Ond er gwaethaf pryderon y beirniaid, dal i fynd o nerth i nerth yr oedd y canu, gyda'r côr yn cipio'r gwobrau yn yr eisteddfodau. Pan gyrhaeddodd Curig Davies, yr oedd y côr wedi diflannu, mae'n wir, ond yr oedd tair ffidil neu bedair yn dal i barhau'r traddodiad cerddorfaol. Cipio'r merched i waith rhyfel a roes derfyn arno.

31

Cryfder Curig yn Ebeneser oedd ei waith bugeiliol. Yr oedd ei garedigrwydd naturiol yn esgor ar gymwynasgarwch a chyfeillgarwch. Cariai bobl hwnt ac yma yn ei fodur mewn cyfnod pan oedd ceir yn dal yn brin a phetrol wedi ei ddogni o 1939 ymlaen. Nodwedd arall yn ei gymeriad a'i gwnâi'n fugail effeithiol oedd ei allu i siarad yn ddi-lol â neb pwy bynnag. Yr oedd bob amser yn sgwrsiwr brwdfrydig – er mawr bryder i'r sawl oedd yn cael ei gludo yn ei gar! Ond yr oedd hyn yn gaffaeliad iddo pan alwai yn nhai'r aelodau, yn arbennig y rheini a deimlai hytrach yn swil ym mhresenoldeb gweinidog. Nid oedd ef ei hun yn un i sefyll ar ei urddas. Yr un modd dangosodd ef a Mrs. Davies letygarwch hael yn y mans, Tre Hywel, Ffordd y Garth Uchaf, tuag at y llu myfyrwyr a ddeuai i Fangor. Ffrwyth y cwbl yma oedd llwyddo i greu yn Ebeneser awyrgylch gynnes deuluol.

Yr oedd ganddo ddiddordeb neilltuol mewn addysgu. Yn ystod ei gyfnod ym Mangor, ymgofrestrodd yn Adran Addysg Coleg y Brifysgol a sefyll yr arholiadau rhagarweiniol ar gyfer M.A. Ar ôl pasio'r rheini, aeth rhagddo i baratoi traethawd M.A. ar 'Yr Ysgol Sul o safbwynt Addysg Fodern' ond oherwydd y galwadau cynyddol ar ei amser ni chwblhaodd y gwaith. Yr oedd ganddo ofal mawr tros blant a phobl ifanc. Yr oedd y sêl tros yr Ysgol Sul a oedd i fod mor amlwg yn ddiweddarach yn Ysgol Haf yr Ysgol Sul wedi dechrau cynhesu hyd yn oed cyn ei ddyfod i Ebeneser. Buasai'n paratoi gwersi'r Ysgol Sul ar gyfer *Y Darian* ym 1929-30 ac yn *Y Cyfarwyddwr* o 1930 hyd 1935. O ran hynny, bu'n olygydd *Y Cyfarwyddwr* am saith mlynedd. Yr un brwdfrydedd oedd yn ysbrydoli ei erthyglau fel 'Gŵr y Gornel' yn *Y Tyst* ym 1934 a 1935. Dechreuodd olygu *Dysgedydd y Plant* hefyd ym 1932. Nid yw'n rhyfedd felly iddo yn ystod ei gyfnod yn Ebeneser fod yn athro ymroddgar ar ddosbarth o'r plant hŷn. Beth bynnag fyddai'r wers, llwyddai i gynnwys ynddi ryw wybodaeth gyffredinol newydd i'r plant. Dichon nad oedd hynny'n ymddangos yn berthnasol iawn ar y pryd, ond y mae'r disgyblion a fu yn y dosbarth hwnnw'n cofio'r wybodaeth hyd heddiw. Er enghraifft, yr oedd yn Annibynnwr pybyr ac yn ymhoffi yn hanes y tadau. Ac nid oedd yn ddim ganddo adrodd hanes rhai o fawrion yr enwad yn ystod ei wers Ysgol Sul. Y canlyniad oedd i aelodau ei ddosbarth ddod yn ymwybodol eu bod yn perthyn i draddodiad cyfoethog.

Yr oedd 1939 yn flwyddyn dathlu trichanmlwyddiant sefydlu eglwys Annibynnol gyntaf Cymru yn Llanfaches. Curig Davies oedd yn fwyaf cyfrifol am grynhoi defnyddiau'r llyfrynnau dathlu a'u gweld trwy'r wasg. Ysgrifennodd *Storïau am Annibynwyr* (1939) ei hun. Y lleill oedd *Arweinwyr yr Annibynwyr* gan J. Rees Jones, *Eglwysi'r Annibynwyr gan nifer o awduron* a chyfrol swmpus Geraint Dyfnallt Owen, *Ysgolion a Cholegau'r Annibynwyr* (1939). Yn fuan wedyn y cyhoeddodd *Y Morwr a'r Merthyr* (1940) i'r Gymdeithas Genhadol. Prawf trawiadol o'i ddiddordeb yn yr ieuenctid, ac o'i ynni diorffwys, oedd ei waith yn lansio'r cylchgrawn, *Gwybod: Llyfr y Bachgen a'r Eneth.* Tom Parry (Syr Thomas Parry yn ddiweddarach) ac yntau oedd golygyddion a'r cyhoeddwyr oedd Hughes a'i Fab, Wrecsam. Ymdangosodd y rhifyn yn cyntaf, yn cynnwys 48 tudalen, yn Rhagfyr 1938. Yn hwnnw dywed y golygyddion:

Ni fwriedir i'r gwaith fod yn gyhoeddiad crefyddol na sectyddol mewn unrhyw ystyr. Ond hyderwn y bydd ei dôn i gyd yn gymorth i arwain y meddwl ifanc i ddeall a dirnad yn well ffyrdd a throeon bywyd, a galluogi dyn i ennill llywodraeth fwy dros ei dynged.

Mae'r datganiad hwn dipyn yn fwy athronyddol na chynnwys y cylchgrawn. Ei batrwm oedd gweithiau fel *The Children's Encyclopaedia.* yn Saesneg. Yr oedd ynddo gymysgfa fywiog o wybodaethau am hanes Cymru, gwyddoniaeth, cerddoriaeth, crefydd a phersonau amlwg. Yr oedd cyfoeth o ddarluniau ynddo hefyd, o leiaf un ymhob rhifyn mewn lliw. Yn y cyntaf, er enghraifft, ceir peintiad adnabyddus Syr E.J. Poynter, *Ffyddlon hyd Angau,* llun canwriad Rhufeinig yn glynu wrth ei le pan oedd y dilyw tân yn disgyn ar dref Pompeii. Cafwyd ysgrifenwyr medrus i gyfrannu erthyglau, rhai fel Brynmor L. Davies, D. Myrddin Davies, T. Eurig Davies, R. Elfyn Hughes, A.O.H. Jarman, J. Gwyn Jones, Enid Parry, Jennie Thomas a J.O. Williams. Er y manteision hyn, ni chafodd *Gwybod* y croeso disgwyliedig ond yr oedd gobaith y byddai'r cylchrediad yn cynyddu. Fodd bynnag, ar glawr rhifyn Tachwedd 1939 ceir gair gan y cyhoeddwyr yn dweud mai hwnnw fyddai'r rhifyn olaf gan ychwanegu, 'daeth Rhyfel â'i amodau caethiwus i dagu ein gobeithion'. Er hynny, yr oedd *Gwybod* yn arbrawf ardderchog ac yn gyfraniad gwerthfawr at lenyddiaeth addysgol plant y genhedlaeth honno.

Nid *Gwybod* oedd yr unig beth a ddioddefodd oherwydd y rhyfel. Amser anodd oedd hwnnw i eglwysi a gweinidogion. Nid oedd llewyrch o oleuni i'w weld yn unman wedi nos ac amharai hynny ar bresenoldeb yn yr oedfeuon. Yr oedd y rhai ifanc ar y llaw arall yn cael eu galw i wneud rhyw 'wasanaeth cenedlaethol' neu'i gilydd. Ac yn achos Ebeneser ei hun yr oedd Festri Caellepa wedi ei hatafaelu fel canolfan bwyd. Golygai hynny docio ar y gweithgareddau a gynhelid ynddi gynt.

Drwy'r cwbl, daliodd Curig Davies a'i briod i weithio'n egnïol ym Mangor. Daethant yn gymeriadau adnabyddus a chymeradwy ym mywyd y ddinas. A bu optimistiaeth gynhenid Curig Davies yn foddion i gynnal ysbryd ei bobl mewn dyddiau hynod dywyll.

*   *   *

Gyda'r cynnydd yng ngwaith Undeb yr Annibynwyr, penderfynwyd yng nghynhadledd Undeb Aberafan (1925) y dylid cael un ysgrifennydd cyflogedig amser-llawn yn lle'r tri ysgrifennydd di-dâl a geid hyd hynny. Felly, ym 1927 etholwyd D. Morgan Davies, a fuasai'n Oruchwyliwr y Llyfrfa byth oddi ar 1907, i'r swydd. Yr un flwyddyn penderfynwyd hefyd y dylid lleoli'r Llyfrfa a Swyddfa'r Undeb yn 7, Northampton Place, Abertawe. Bu farw Morgan Davies wrth ddrws ei swyddfa ar 3 Gorffennaf 1934 ac etholwyd James Davies, gweinidog Mynydd-bach, i'w olynu. Dirywiodd ei iechyd a gorfu iddo ymddeol ym 1942. Gwnaethpwyd trefniadau ar gyfer ethol un i'w ddilyn. Y trefniant oedd fod y cyfarfodydd chwarter yn enwebu rhai ar gyfer y swydd. Cynigiwyd saith enw a gofynnwyd i Gyngor yr Undeb ddewis tri ohonynt fel rhestr fer. Y tri y cytunwyd arnynt oedd John H. Pugh, Aber-soch, J.T. Rogers, Merthyr ac Ebenezer Curig Davies, Bangor. Yr oedd holl aelodau'r Undeb i bleidleisio ar yr enwau hyn a phan gyfrifwyd y pleidleisiau ar 28 Awst 1942 cafwyd mai Curig Davies oedd wedi ei ethol. Byddai ei gyflog yn 400p. y flwyddyn ac yr oedd i ymddeol pan gyrhaeddai 65 mlwydd oed.

Yr oedd peth brys i'w gael i gydio yn ei waith rhag i fusnes y Swyddfa ddioddef. Ar 9 Medi 1942 gofynnodd y Cyngor i'r Prifathro John Morgan Jones a Mr. D.J. Williams, Bethesda, ymweld ag eglwys Ebeneser i ofyn iddi ryddhau ei gweinidog cyn gynted ag y bo modd. Cytunodd hithau. Felly mudodd Curig a'r teulu i Abertawe. Trefnwyd oedfa i'w neilltuo i'w waith. Cynhaliwyd hi yng nghapel Heol Henrietta, Abertawe, bnawn Mercher, 25 Tachwedd, gydag Edward Jones, gweinidog Ebeneser, Abertawe, yn llywyddu. Cafwyd anerchiadau gan J. Oliver Stephens, Cadeirydd yr Undeb ar y pryd, ac R.G. Berry, y Cadeirydd-etholedig. Yr un diwrnod cyfarfu Curig am y tro cyntaf â'i bwyllgorau, Pwyllgor y Llyfrfa yn y bore, a'r Pwyllgor Gweinyddol yn y pnawn. Wynebodd ei Gyfarfodydd Blynyddol cyntaf yng Nghastellnewydd Emlyn o'r 7fed i'r 9fed Mehefin 1943.

Mae Undeb yr Annibynwyr yn dipyn o ddirgelwch i esgobaethwyr, presbyteriaid a methodistiaid. O ran hynny lleiafrif cymharol fychan o Annibynwyr sydd â syniad clir am ei natur, ei waith a'i awdurdod. Nid llys na synod na chyngor eglwysig mohono ond brawdoliaeth. Mae eglwysi ac unigolion yn gallu perthyn iddo trwy gyfrannu tâl blynyddol. O ganlyniad mae'r pwyslais ar gynorthwyo a gwasanaethu yn hytrach nag ar reoli a llywodraethu. Gall eglwysi fod yn eglwysi Annibynnol heb berthyn i'r Undeb a'r un modd gyda gweinidogion. Yn wir, ym 1927 dim ond 88 o eglwysi oedd yn perthyn i'r Undeb. Bu cynnydd sylweddol yn y blynyddoedd nesaf ond hyd yn oed ym 1944 yr oedd 400 o eglwysi na pherthynent i'r Undeb. Y prif awdurdod ynddo oedd y Gynhadledd a gyfarfyddai unwaith y flwyddyn yn ystod y Cyfarfodydd Blynyddol. Yr oedd Cyngor yn cynrychioli'r cyfundebau (sef y Cyfarfodydd Chwarter, i roi'r enw swyddogol arnynt) a hwnnw'n atebol i'r Gynhadledd. Cyfarfyddai o leiaf deirgwaith y flwyddyn ac ef oedd yn bennaf cyfrifol am lunio polisi. Yna yr oedd pedwar pwyllgor sefydlog o dan aden y Cyngor. A cheid pwyllgorau annibynnol ar y drefn hon, sef Pwyllgor y Gronfa, Pwyllgor y Drysorfa Gynorthwyol o Phwyllgor y Caniedydd. Y pwysicaf o'r pwyllgorau sefydlog oedd y Pwyllgor Gweinyddol — pwyllgor brys yr Undeb — a gyfarfyddai'n amlach na'r un arall i drafod materion yr oedd yn rhaid cael barn sydyn arnynt. Dyma felly y peirianwaith yr oedd Curig yn ysgrifennydd ac yn brif weithredwr iddo.

Yn ystod ei anerchiad yn oedfa sefydlu Curig dywedodd yr Athro J. Oliver Stephens wrtho, 'Yr ydych yn dechrau eich gwaith mewn argyfwng mawr, a diau y penderfynir eich gwasanaeth i raddau helaeth ganddo.' A gwir a ddywedodd. Mae'n werth bwrw golwg tros y pethau a fyddai'n pwyso ar wynt yr Ysgrifennydd newydd yn y blynyddoedd nesaf.

Yr oedd hi'n rhyfel. Dechreuodd hwnnw ar 3 Medi 1939. Yr oedd Abertawe ei hunan wedi teimlo oddi wrth rym y ddrycin. Ar nos Wener, 21 Chwefror 1941, disgynnodd bomiau tân a llosgi'r tai nesaf at y Swyddfa. Trwy ymroddiad cymdogion a'r gwasanaeth tân llwyddwyd i arbed peth ar y Swyddfa ond ni ellid ei defnyddio am ychydig amser. Ond yr oedd wedi ei hatgyweirio ar gost y llywodraeth cyn i Curig afael yn ei swydd. Faint mwy o ddifrod a ddioddefai'r eglwysi a'u capeli gan y cyrchoedd awyr cyn y byddai'r rhyfel drosodd? Yn wir, yr oedd capel Great Mersey Street yn Lerpwl wedi ei ddifrodi gan fomiau cyn gynhared â 7 Hydref 1940. Yr oedd gofyn gwneud trefniadau ar unwaith rhag ofn y byddai eraill yn dioddef yr un dynged. Ar y diwrnod y cydiodd Curig yn ei swydd, yr oedd y Pwyllgor Gweinyddol yn codi pwyllgor i drefnu casglu cronfa o 50,000p. tuag at 'atgyweirio ac ad-drefnu' ar ôl y rhyfel. Cyfarfu'r pwyllgor hwnnw am y tro cyntaf ar 18 Rhagfyr 1942. Curig oedd ei ysgrifennydd a golygai'r cyfrifoldeb waith mawr i greu peirianwaith addas i gasglu'r arian ym mhob rhan o'r wlad. Cydweithiai'r Undeb yn y mater hwn gydag Undeb Cynulleidfaol Lloegr a Chymru. Yr oedd hwnnw'n bwriadu casglu hanner miliwn o bunnau at yr un amcanion. Ond yr oedd y cydweithio'n golygu trafod yn fynych ac yn hir gyda Dr. Sidney M. Berry a swyddogion eraill yr Undeb Cynulleidfaol ynglŷn â'r mân drefniadau.

Gwedd arall ar gysgod y rhyfel oedd ei ddylanwad ar drafodaethau'r Undeb. Yr oedd y Gynhadledd yng Nghaerfyrddin, 4 Mehefin 1941, wedi pasio penderfyniad yn cynnwys y cymal, 'Nad drwy barhau y rhyfel y ceir Heddwch, ond drwy Gadoediad.' Bu dadlau poethlyd uwchben y penderfyniad yn y gynhadledd, ac ar ôl hynny protestiodd eglwysi Cwmbwrla, Saron, Aberaman, a Seion, Rhymni, yn ogystal â rhai unigolion, yn ei erbyn. A bu dadlau hyd yn oed poethach yn Undeb Castellnewydd Emlyn ym 1943 pan gynigiwyd penderfyniad ar heddwch gan Simon B. Jones yn galw ar y llywodraeth i 'gymryd mesurau heddychu ar fyrder'. Cynigiodd Dr. Rees Griffiths, Ebeneser, Caerdydd, fod diddymu'r geiriau hyn. A dyna roes y grug ar dân. Y diwedd oedd i'r cadeirydd, J. Oliver Stephens, gynnig penderfyniad yn galw 'am heddwch buan yn sylfaenedig ar egwyddorion Cristnogol'. A dyna basiwyd. Mae'r dadleuon hyn yn enghreifftiau teg o'r teimladau uchel yr oedd y rhyfel yn eu cyffroi ac nid bach o beth i unrhyw ysgrifennydd oedd sicrhau nad oedd y gwahaniaethau barn yn esgor ar rwyg yn yr Undeb.

Yn y Swyddfa ei hunan, yr oedd pethau braidd yn anhrefnus oherwydd salwch ei ragflaenydd. Arhosai llawer o bethau, mawr a mân, heb eu gwneud. Bu'n rhaid treulio amser i adfer trefn. Ac yr oedd tristwch personol hefyd yn mennu ar ysbryd yr Ysgrifennydd. Ar 14 Chwefror 1943 bu farw ei fam yn 87 mlwydd oed. Yr oedd Mrs. Anna Davies wedi bod am dros hanner canrif yn aelod yn Llwyn-yr-hwrdd ac yn gefn nid yn unig i'r Achos Mawr ond i'w meibion,

Curig a Thegryn. Buasai eu tad, Robert J. Davies, farw ar 12 Chwefror 1939 yn 77 mlwydd oed. Fe'u claddwyd ym mynwent Glandŵr, ac y mae'r gweinidog, y Parchg. Howell Mudd, wedi codi'r ddau gwpled sydd ar eu carreg fedd:

Mewn heddwch, rhai mwyn oeddynt,
Nid oedd gwall i'w dyddiau gynt,
Eu byd oedd eu byw diddan;
Heddwch i'w llwch yn y llan.

Yr oedd cwestiynau dwys yn dechrau codi eu pennau o berthynas i'r Weinidogaeth a dwysáu fwyfwy y byddent trwy gydol cyfnod Curig fel Ysgrifennydd. Un cwestiwn ymhlith amryw oedd cydnabyddiaeth gweinidogion. Y cyfrwng ariannol i gynorthwyo eglwysi i sicrhau gweinidogaeth sefydlog oedd y Drysorfa Gynorthwyol. Mae ystadegau 1941 yn dangos sut yr oedd pethau'n sefyll. O'r 845 eglwys Annibynnol, 147 a gyfrannodd at y Drysorfa, a'r swm a gyfrannwyd ganddynt oedd 287.33p. Yn y blynyddoedd rhwng 1934 a 1940, yr oedd (ar gyfartaledd) 158 o eglwysi wedi cyfrannu 326.50p bob blwyddyn. Yr oedd gan siroedd Caernarfon, Maldwyn a Meirion eu trysorydd eu hunain ac o'r rhain yr oeddent wedi cyflwyno 115.25p. i'r Drysorfa—tua 40 y cant o'r cyfanswm. Ac yn y cyfundebau eraill, dim ond 147 eglwys allan o 640 a gyfrannodd o gwbl at y Drysorfa, a dim ond 61 o'r eglwysi hunangynhaliol. Yr oedd cyfanswm buddsoddion y Drysorfa ar ddechrau'r rhyfel yn 60,980.75p. a dyna sut yr oedd yn gallu estyn 2,235.75p. mewn grantiau i 179 o eglwysi ym 1941. Ond hyd yn oed yn niwedd 1944 yr oedd tros gant o weinidogion a'u cyflog yn llai na 200p. y flwyddyn ac amcangyfrifid y pryd hynny y byddai angen 3,000p. yn ychwanegol bob blwyddyn i sicrhau isafswm cyflog o 200p. i bob gweinidog. A chyn bo hir deuai'n amlwg nad cydnabyddiaeth isel oedd yr unig aflwydd a effeithiai ar y Weinidogaeth. Ond i Ysgrifennydd yr Undeb, yr oedd y cyni ariannol yn beth i golli cwsg o'i blegid.

Soniwyd eisoes am ddiddordeb arbennig Curig Davies mewn llenyddiaeth. Yr oedd paratoi a dosbarthu llenyddiaeth yn rhan bwysig o waith yr Undeb trwy'r Llyfrfa—ac yn fêl ar fysedd Curig. Creodd y rhyfel anawsterau newydd i gyhoeddwyr. Yr oedd papur yn prinhau ac yr oedd yn codi yn ei bris. *Y Tyst* oedd y papur wythnosol a J. Dyfnallt Owen yn olygydd bywiog iddo byth ers 1927. Y cylchgrawn misol oedd *Y Dysgedydd*. Ei olygyddion hyd Rhagfyr 1942 oedd R.H. Davies, Dinbych, ac Arthur Jones, Aberhonddu. Gyda rhifyn Ionawr

1943 cydiodd T. Eirug Davies, Llanbedr Pont Steffan, yn y swydd. Bu ef farw ar 3 Hydref 1951 a chyda rhifyn Ionawr 1952 daeth Iorwerth Jones, Ystalyfera, yn olygydd. Ac yna yr oedd *Tywysydd y Plant* a Morgan Llywellyn, Llanelli, yn ei olygu – gwaith yr oedd Curig ei hun i ymgymryd ag ef maes o law. Cyfrol fach bwysig i weinidogion ac ysgrifenyddion eglwysig oedd *Y Blwyddiadur* (neu 'Y Dyddiadur' ar lafar gwlad) oherwydd ynddo y ceir bob manylion am weinidogion a swyddogion yr eglwysi a'u cyfeiriadau. J.T. Rogers, Merthyr Tudful, oedd ei olygydd o 1942 i 1957. Dyma'r gwŷr yr oedd Curig yn cydweithio yn gyson â hwy. Ymhlith yr amrywiol ddalennau, pamffledi a llyfrau, y pwysicaf oedd *Y Caniedydd Cynulleidfaol Newydd, Caniedydd yr Ysgol Sul a'r Detholiad o Emynau.*

I Ysgrifennydd a oedd yn dwyn mawr sêl tros lenyddiaeth, nid oedd cylchrediad y gwahanol gyhoeddiadau'n achos llawenydd. Nid bod pethau ym 1942 yn argyfyngus ond gallent fod lawer iawn yn well. Rhwng 1939 a 1943 gostyngodd cylchrediad *Y Tyst* o 3,650 i 3,491 a'r *Dysgedydd* o 1,750 i 1,570. Cynyddodd cylchrediad *Tywysydd y Plant* o 4,800 i 5,217. Ond nid oedd y cyfnodolion hyn yn cyrraedd yr holl eglwysi o bell ffordd. O'r 831 eglwys Annibynnol ym 1943, nid oedd *Y Tyst* yn mynd i 482 na'r *Dysgedydd* i 415 na'r *Tywysydd* chwaith i 345 ohonynt. Prin dalu'r ffordd yr oedd dau ohonynt. Ym 1939 elw'r *Tyst* oedd 384p. a *Thywysydd y Plant* yn 8.24p. Ond collodd *Y Dysgedydd* 22.50p. Ym 1939 nid oedd Pwyllgor y Caniedydd yn gwneud elw ar werthiant y flwyddyn ond gan fod ganddo gyfalaf wrth gefn gallai ddangos fod ganddo 754.25p. dros ben. Yr oedd yn argoel da ym mlynyddoedd cyntaf y rhyfel mai'r llenyddiaeth a wnaeth eithaf elw oedd llyfrynnau dathlu 1939 – a Churig Davies yn bersonol a oedd yn bennaf cyfrifol am hynny.

Fe welir felly fod Curig Davies, fel y dywedodd Oliver Stephens, yn wynebu cwestiynau argyfyngus wrth ymafael yn yr awenau. Ac yr oedd rhywbeth dyfnach hefyd yn poeni arweinyddion yr Undeb yn y blynyddoedd hynny. Sut yn union oedd wynebu'r dyfodol? Yr ydym yn sôn am frawdoliaeth o Gristionogion. Beth oedd galwad Duw iddynt mewn cyfnod oedd yn brawf tanllyd ar ffydd pobl? Sut oedd rhoi arweiniad Cristionogol i Gymru mewn cyfwng gyda'r dwysaf yn ei hanes? Nid yw'n rhyfedd yn y byd fod Cyngor yr Undeb ar 8 Mawrth 1944 wedi enwi pwyllgor i ystyried beth oedd 'Ewyllys Duw yn ein hamser ni'. Codwyd R.G. Berry yn gadeirydd y pwyllgor a W.B. Griffiths yn gofnodydd a Churig Davies yn ysgrifennydd iddo. Yr oedd 17 wedi eu gosod ar y pwyllgor, rhai o wŷr galluocaf eu cenhedlaeth yn eu plith. Cytunasant i ymrannu'n dri phanel, pob un â'i faes llafur ei hun, sef, (1) Beth yw'r Efengyl? (2) Maes yr efengylu, a (3) Moddion yr efengylu. Mae'n amlwg oddi wrth y sylabws hwn fod y pwyllgor yn gweld pwysigrwydd efengylu fel rhan o'r ymateb i'r argyfwng ac o ganlyniad yn mynd i'r afael â phwnc sy'n dal i bwyso arnom hyd y dydd hwn. Erbyn Medi 1948 yr oedd y gwaith wedi ei gwblhau. Ac yna digwyddodd peth siomedig iawn. Penderfynwyd peidio â chyhoeddi'r defnyddiau'n llyfr ond eu cyflwyno i olygyddion *Y Tyst* a'r *Dysgedydd*. Os ceisio arweiniad Duw a'i drosglwyddo fel ysbrydiaeth i'r eglwysi oedd amcan y cwbl, yr oedd hyn yn ddiwedd di-ffrwt i'r gweithgarwch.

*   *   *

Wrth gwrs, Ysgrifennydd oedd Curig Davies, nid llywydd na phrif weinidog. Gweithredu ar orchymynion pobl eraill oedd ei swydd. Ac yn y pethau yr ydym wedi cyfeirio atynt hyd yma nid oedd yn ei anian i geisio cipio'r awenau a rhoi arweiniad ei hun. A phwy oedd y rhai a roddai'r arweiniad? Yr oedd yr awenau yn y pedwar degau yn nwylo dynion cryfion a llawer ohonynt yn gynhyrchion cenhedlaeth a oedd bellach yn tynnu ei thraed ati. Yr oedd Elfed yn 82, Syr J.E. Lloyd yn 81, H. Eynon Lewis yn 79, R.G. Berry a Thomas Lewis yn 73, Isaac Edwards yn 71, Dyfnallt a John Morgan Jones yn 69, Eurof Walters yn 67, Fred Jones a Joseph Jones yn 65, R.T. Gregory yn 63 ar Oliver Stephens yn 62. Yr oedd Curig ei hun yn 47 pan ddaeth yn Ysgrifennydd. O'r rhai a enwir yma, Gregory oedd yr unig un ar ôl erbyn diwedd 1957. Dyma'r genhedlaeth hŷn ac yr oedd ei llaw'n drwm ar yr Undeb ym 1942.

Ceid hefyd genhedlaeth iau a gynrychiolid gan ddynion fel Alban Davies, Eurig Davies, Simon B. Jones, R.H. Williams, Chwilog, Robert Evans, Llanbryn-mair, D.J. Davies, Aberhonddu, R.H. Davies, Dinbych, W.T. Gruffydd ac amryw byd eraill o'r un oedran, y rhain eto'n ddynion pwerus a'u cyfraniad i waith yr Undeb mewn amrywiol ffyrdd yn allweddol.

Ond wrth ddarllen trwy adroddiadau'r Undeb yn y blynyddoedd ar ôl y rhyfel, ni ellir osgoi'r teimlad fod rhyw fath o ddigalondid yn yr awyr. Yn y pregethau a'r anerchiadau ceir cyfeiriadau at wareiddiad yn mynd â'r ben iddo ac at chwalu gwerthoedd moesol. Gan fod llawer o'r blaenwyr yr adeg honno â chryn gydymdeimlad â delfrydau sosialaidd hyd yn oed os nad oeddent yn cefnogi'r Blaid Lafur, y mae'n syndod na byddai mwy o'r euphoria a ddilynodd etholiad 1945 yn cael ei adleisio yn eu plith. Ond nid felly yr oedd. Dichon fod amryw o'r rhai hŷn yn teimlo fod y byd y magwyd hwy ynddo'n chwalu a bod rhai eraill yn sylweddoli fod llawer iawn o bethau siomedig ynglŷn â'r byd newydd ar ôl rhyfel. Un ystyriaeth na ellir ei hosgoi yw fod llawer iawn o flaenwyr yr Undeb yn heddychwyr a phan ddaeth gwybodaeth gadarn am erchyllterau gwersylloedd fel Belsen ac Auschwitz, bu'n ysgytiad difrifol i'r sawl a oedd wedi sylfaenu eu heddychiaeth ar y gred fod rhyw dda ym mhawb.

Ond bu Curig yn gweithio hefyd gyda'r genhedlaeth y daeth ei hawr ar ôl y rhain. Erbyn canol y pumdegau yr oedd dynion newydd wedi dod i'r blaen, er bod rhai ohonynt wedi cyfrannu at fywyd yr Undeb yn dawel cyn hyn. Yr oedd y genhedlaeth hon yn fwy bywiog ac ymosodol at ei gilydd na'r un o'i blaen. Yr oedd yn fwy ymwybodol o'i Chymreictod ac yn ymdeimlo'n fwy angerddol â helbul y byd mawr cyfoes. Gellir enwi nifer ohonynt fel cynrychiolwyr cylch ehangach: − Gwilym Bowyer, Pennar Davies, R.E. Edwards, Dr. E. Lewis Evans, Gwynfor Evans, Trebor Lloyd Evans, R. Leonard Hugh, Emlyn Jenkins, Ieuan S. Jones, Iorwerth Jones, Henry Lewis, O.M. Lloyd, W. Rhys Nicholas, Brinley Richards, D.J. Roberts ac Isaac Thomas. Dyma genhedlaeth gyfoethog iawn ei hadnoddau a phrin bod yr Undeb yn ei holl hanes wedi cael cysawd lawn cyn ddigleiried ei ddoniau.

Oherwydd natur cyfansoddiad yr Undeb, yr oedd gan yr Ysgrifennydd gysylltiadau arbennig o agos gyda'r swyddogion sefydlog. Sêr gwib oedd y cadeiryddion at ei gilydd yn cael disgleirio am flwyddyn cyn diflannu fel Comed Halley. Ac o dan gyfansoddiad 1944 disgwylid i holl aelodau'r Cyngor gael eu hethol am dair blynedd yn unig. Ni chedwid yn gaeth at y rheol hon, er hynny yr oedd aelodaeth y Cyngor yn newid yn gyson. Ond ni allai'r Ysgrifennydd osgoi cyfathrachu'n gyson â'r prif swyddogion. Yr oedd y Trysorydd yn swyddog allweddol. Daliwyd y swydd honno o 1941 hyd 1951 gan J.R. Thomas, gŵr o brofiad mawr ym myd busnes Llundain. Fe'i dilynwyd ym 1951 gan Brinley Richards, y cyfreithiwr a'r prifardd o Faesteg. Y cyfreithiwr mygedol o 1941 hyd ei farw ar 22 Rhagfyr 1962 oedd D. Gethin Williams a bu Curig yn pwyso'n neilltuol drwm ar ei farn ar hyd y blynyddoedd a bu yntau'n hael ei gefnogaeth a'i gyngor i Curig. Yr oedd athrawon y colegau hefyd yn tueddu i dreulio blynyddoedd ar y Cyngor yn rhinwedd eu swydd. Yr oedd Joseph Jones, Aberhonddu, braidd yn anghyffredin yn eu plith oherwydd mai gwleidyddiaeth leol oedd ei ddiddordeb mawr. Bu'n Gadeirydd Pwyllgor Addysg Brycheiniog o 1919 tan 1950 ac yn Gadeirydd y Cyngor Sir o 1940 hyd 1943. Bu hefyd yn Gadeirydd Cyngor yr Undeb o 1935 hyd 1942 a thrachefn pan oedd yn Gadeirydd yr Undeb, 1945-6. Ac ef oedd y meistr mawr ar lywyddu pwyllgorau. Gŵr hollol wahanol oedd John Morgan Jones, Prifathro Coleg Bala-Bangor. Nid oedd rheolau'n gorffwys yn esmwyth ar ei war a hawdd ganddo anghydffurfio, yn y dull mwyaf grasol posibl, pan deimlai fod hynny'n briodol. Ysgolhaig yn anad dim oedd y Prifathro Thomas Lewis, Prifathro'r Coleg Coffa, a brawd Elfed, ond trwm ei ddylanwad er hynny yn nhrafodaethau'r Undeb. Ac felly hefyd yr Athro J. Oliver Stephens, Coleg Presbyteraidd Caerfyrddin, a gâi gryn drafferth yn aml i gadw mewn cysylltiad â phethau mor rhyddieithol â thrafodaethau pwyllgorau.

Yr oedd presenoldeb cynifer o ddynion galluog ac mor amrywiol eu doniau'n ddigwyddiad rhagluniaethol i Curig. Nid oedd eglurhad meddwl ac ymadrodd yn un o'i ddoniau amlycaf, yn arbennig pan oedd angen wynebu holwyr cwestiynau cyfrwys ar faes cynhadledd. Ac nid peth dieithr oedd ei weld ar goll ymhlith ei bapurau. Ond yr oedd digon o ddynion fel Joseph Jones, J.R. Thomas, Brinley Richards a Gwynfor Evans o gwmpas i esbonio pynciau astrus a Mrs. Curig Davies a Miss Ray Rees, y Swyddfa, wrth ei benelin i'w ddiogelu rhag dryswch gyda'i amserau a'i bapurau.

Felly yr oedd ganddo doreth o ddynion galluog wrth law pan lansiodd ei gynlluniau mwyaf uchelgeisiol.

Ym Mawrth 1944 cododd y Cyngor bwyllgor bach i ystyried beth orau i'w wneud pan ddeuai prydles 7, Northampton Place i ben, gan fod hynny i ddigwydd yn fuan. Buan y daeth y pwnc yn fater brys oherwydd ym mis Medi yr un flwyddyn hysbyswyd y byddai 'cynlluniau adeiladu tref Abertawe yn effeithio ar y Llyfrfa' a dylid yn wyneb hynny sicrhau adeilad newydd 'teilwng o'r Enwad'. A beth am gael ei wasg ei hun i'r Undeb? Gan ei fod yn cyhoeddi swm sylweddol o lenyddiaeth, byddai hynny'n gaffaeliad mawr. Erbyn Medi 1946 yr oedd trafodaeth ar droed i brynu swyddfa argraffu ond penderfynwyd peidio â gweithredu y pryd hwnnw. Bu'r pwnc yn hepian tan 1952 pan ddywedwyd wrth y Cyngor ym mis Medi fod swyddfa argraffu'r *Guardian* yn Llanelli ar werth. Yr oedd y Pwyllgor Gweinyddol wedi awdurdodi'r cyfreithiwr, Gethin Williams, i drefnu ymchwiliad gan wŷr hyddysg er mwyn penderfynu beth oedd gwerth a chyflwr yr adeilad a'r peiriannau. Awgrymodd Gethin Williams a Brinley Richards ar gorn yr adroddiadau y byddai 10,000p yn bris rhesymol am y cwbl. Cafwyd cadarnhad i'r awgrym gan y Cyngor yng Nghaergybi, 8 Mehefin 1953, a chadarnhad terfynol y Gynhadledd drannoeth.

Yng Nghyngor Llandeilo, 7-9 Medi 1953, adroddwyd fod y trefniadau wedi eu gwneud i feddiannu'r wasg yn Llanelli a bod amryw atebion wedi dod i'r hysbyseb am arolygwr ond nad oedd neb eto wedi ei benodi. Argymhellwyd fod Curig ei hun yn gweithredu fel arolygwr yn y cyfamser. Dywedodd Gethin Williams hefyd mai ar 14 Medi 1953 y byddai'r wasg yn dod yn eiddo cyfreithlon i'r Undeb. A beth oedd enw'r wasg i fod? 'Yr enw a gydiodd dynnaf oedd 'Gwasg John Penry'. Wedi clywed cymeradwyaeth yr Athro Henry Lewis i'r enw hwn penderfynwyd ei fabwysiadu, meddai'r cofnodion. A sut oedd talu am y wasg? Cafwyd 3,000p. yn fenthyg gan Bwyllgor y Caniedydd ac yr oedd y gweddill i'w fenthyca gan y Dyrsorfa Atgyweirio. Yr oedd cyfalaf y Drysorfa honno ar 31 Rhagfyr 1953 yn 11,202p. a benthyciwyd 7,444p. ganddi. Yn ddiweddarach benthyciwyd 2,824p. gan y Drysorfa Gynorthwyol a mil o bunnau o'r Gronfa. Ond benthyciadau oedd y rhain – a benthyciadau a oedd y peri peth anesmwythyd ym meddyliau llawer o Undebwyr. Byddai'n rhaid talu'r echwyn yn ôl. Felly apeliwyd at eglwysi ac unigolion i gyfrannu. Agorwyd y wasg yn swyddogol ar 5 Rhagfyr 1953 gan y Barnwr G. Clark Williams.

Sylweddolwyd ar unwaith mai cyfyng oedd y gwaith y gallai peiriannau'r wasg ei wneud ac felly y dylid prynu rhai newydd er mwyn gallu cyfarfod gofynion argraffu mwy amrywiol. Ac yn neilltuol deuai'r cyfle cyn bo hir i argraffu *Caniedydd* newydd ac os gallai'r wasg wneud y dasg fawr honno, byddai'n gryn elw iddi. Ar y dechrau, yr oedd y wasg yn colli arian. Rhoddwyd sicrwydd ym Mai 1955 fod pethau'n gwella ac yng Nghyngor Caerdydd, 12-14 Medi 1955, dywedodd Cadeirydd Pwyllgor y Wasg, Gwynfor Evans, fod 'y rhagolygon yn bur foddhaol, yn arbennig os ceid mwy o amrywiaeth yn y gwaith oddi wrth yr eglwysi ar hyd y flwyddyn'. Ar yr un pryd cyfaddefodd 'nad oedd yr adeilad presennol yn addas ar gyfer gofynion argraffwasg heddiw'. Gan hynny, gwnaethpwyd trefniadau yn Nhachwedd 1955 i symud y wasg i adeilad yn perthyn i Bethlehem, Cadle, ond pan oedd gwaith cymhwyso'r adeilad ar fin dechrau daeth datblygiad newydd o olygai eu newid.

Mater o raid oedd gadael y Swyddfa yn 7, Northampton Place. Yn y rhagolwg hwnnw sefydlwyd cronfa adeiladu ym Medi 1949 a rhoes Mr. D.J. Howells, Blaendulais, ganpunt yn rhodd i'w chychwyn. Ond nid ymddengys fod dim ymdrech wedi ei gwneud i chwyddo'r gronfa oherwydd nid oedd ond y llog wedi ei ychwanegu at rodd Mr. Howells erbyn diwedd 1953. Yr hyn a barodd newid y trefniadau yn niwedd 1953 oedd fod cyfle wedi dod i brynu adfeilion Capel yr Iarlles Huntingdon yn Heol Sant Helen, Abertawe. Yr Undeb Cynulleidfaol oedd biau'r safle and gan ei fod wedi ei ddifrodi gan y bomiau yn ystod y rhyfel, yr oedd yn rhaid ei brynu trwy'r Comisiwn Difrod Rhyfel. Cytunwyd yn Nhachwedd 1955 i fwrw ymlaen â'r pryniant a golygai hynny ddadwneud y cytundeb ag eglwys Bethlehem, Cadle, a chytunodd hithau i wneud hynny. Pris yr adeilad oedd pum mil o bunnau ac ar yr un pryd prynwyd safle a oedd ynghlwm wrtho am 850p. Llwyddwyd i gael saith mil o bunnau am yr adeilad yn 23, Heol Cowell, Llanelli, ac felly ni bu colled ariannol ar y trefniant. Tasg fawr oedd cymhwyso'r lle i fod yn swyddfa'r Undeb ac yn gartref y wasg ac amcangyfrifid y byddai'r gost i gyd yn 30,000p. Ymddiriedwyd y cymhwyso i'r pensaer Edmund E. Edmunds, y gŵr a gynlluniodd Dŷ Ilston i Undeb y Bedyddwyr. Cyflwynodd Gwynfor Evans y cynlluniau i Gynhadledd yr Undeb ym Mhontardawe ym 1956 a derbyniwyd hwy.

Bu farw Edmund Edmunds ond cymerodd cwmni Vaughan a Ridgewell at y gwaith gan ddilyn y cynlluniau a baratowyd gan Edmunds. Daethpwyd â'r gwaith i ben yn llwyddiannus ac yr oedd yr adeiladau'n 'deilwng o'r Enwad', fel y gobeithid. Yr enw a roddwyd ar y ganolfan newydd oedd 'Tŷ John Penry'. Cafodd ei agor ar 30 Ebrill 1959 gyda D. Gethin Williams yn defnyddio'r allwedd a roddwyd iddo gan Pete Ridgewell, y pensaer. Gwnaethpwyd cryn sbloet o'r agor, gydag oedfa grefyddol yn neuadd Tŷ John Penry o dan arweiniad R.J Jones, Minny Street, Caerdydd; oedfa'n dilyn wedyn yng Nghapel Heol Henrietta a Dr. Tegfan Davies yn llywyddu a thrydedd oedfa gyda'r nos yn Ebeneser, Abertawe, gyda Gwilym Bowyer a D.J. Davies, Capel Als, Llanelli, yn pregethu. Ac nid dyna'r cwbl chwaith; ar y 1af a'r ail o Fai trefnwyd arddangosfa lyfrau yn Nhŷ John Penry, gyda E.D. Jones, y Llyfrgellydd Cenedlaethol, yn agor y naill, ac L.J. Drew, Cyfarwyddwr Addysg Abertawe, yn agor y llall.

Y cwestiwn mawr oedd sut i dalu am y cwbl. Yn gyntaf codwyd Pwyllgor Casglu yn cynnwys swyddogion yr Undeb, tri chyngadeirydd ac un cynrychiolydd o bob Cyfarfod Chwarter. Cyfarfu'r pwyllgor ar fyrder a pharatoi cynllun casglu. Yr oedd pawb a gyfrannai ganpunt i gael eu henwau ar dabled yn yr adeilad. Disgwylid i bob aelod eglwysig gyfrannu ar gyfartaledd bum swllt – 25 ceiniog – a cheisiwyd cael gan bob Cyfarfod Chwarter benodi rhywun i fod yn gyfrifol am y casglu yn ei ddalgylch. Dyna'r trefniadau y cytunwyd arnynt yng Nghyngor Machynlleth ym Medi 1956.

Er gwaethaf y trefnu gofalus, yr oedd casglu'r arian yn fater pryder go fawr. Cafwyd 15,000p. erbyn diwrnod yr agor ond buan y daeth yn amlwg y byddai'r gost yn y diwedd gryn dipyn yn fwy na'r 30,000p. a grybwyllwyd ar y dechrau. Cynyddu yr oedd y biliau ac erbyn Medi 1960 yr oedd 46,761p. eisoes wedi eu talu ac nid oedd y dyledion i drysorfeydd yr Undeb wedi eu clirio o bell ffordd. Nid bai'r cynllunwyr oedd hyn. Yr oedd y wasg yn wynebu anawsterau na ellid eu rhagweld. Yr oedd prisiau a chyflogau'n codi a bu annifyrrwch ymhlith y gweithwyr. Ym 1962 yr oedd chwech wedi gadael a naw'n aros. Ysgafnhaodd y beichiau ariannol fel yr oedd y chwedegau'n dirwyn ymlaen ac yr oedd y diolch i nifer o unigolion am eu haelioni ac yn arbennig i Syr David James. Er yr anawsterau gyda'r wasg, yr oedd y siop lyfrau'n gwneud elw sylweddol. Enghraifft dda o allu Curig Davies i weld cyfle a manteisio arno oedd ei waith yn gwneud cytundeb â Phwyllgor Addysg Morgannwg i gyflenwi ei ofynion mewn llyfrau.

Yr yr holl ymdrech fawr hon, yr oedd Curig Davies yn dibynnu'n drwm ar bobl eraill. Yr oedd yn dda iddo wrth brofiad Brinley Richards a D. Gethin Williams. Ac ni byddai'r fentr wedi ei chwblhau oni bai am lafur Gwynfor Evans fel cadeirydd y pwyllgor a'i fedr yn cyflwyno'r cynlluniau mewn ffordd ddeniadol a pherswadiol i'r Cyngor a'r Gynhadledd. Ond wedi dweud hynny, erys Tŷ John Penry yn dystiolaeth i weledigaeth, dygnwch ac ymroddiad Curig Davies. Yn ei dymor fel gweinidog yn Bynea a Chydweli dangosodd ei ddiddordeb mawr mewn adfer adeiladau. Ac nid oedd galw am wario mawr yn mennu dim arno. Ac yn awr, sylweddolodd ei freuddwyd fel Ysgrifennydd a sicrhau i Undeb yr Annibynwyr adeilad a gwasg i wasanaethu'r eglwysi.

Er hynny, rhan o'i waith oedd hyn yn y blynyddoedd rhwng 1953 a 1964. Yr oedd dyletswyddau arferol ysgrifennydd, y gohebu a'r trefnu yn aros i'w gwneud. Ni phallodd ei ddiddordeb mewn llenyddiaeth ac yn yr Ysgol Sul yn ystod y blynyddoedd hyn. Gwnaeth gyfraniad sylweddol yn y maes olaf trwy drefnu mwyafrif Ysgolion

Haf yr Ysgol Sul a'r rheini'n gwasanaethu pob enwad.

Pan gyfarfu Cyngor yr Undeb yn Hendy-gwyn, 9-10 Medi 1958, dywedodd y Cadeirydd, Dr. Tegfan Davies, iddo dderbyn llythyr gan Curig Davies yn hysbysu fod ei dymor fel Ysgrifennydd yn dirwyn i ben – byddai'n 65 mlwydd oed ym 1960. Cynigiodd T.H. Lewis, Caerdydd, gyda R.T. Gregory yn eilio, ei fod i barhau yn ei swydd am bedair blynedd yn ychwanegol. Pasiwyd y cynnig a chadarnhawyd ef gan y Gynhadledd yn Rhydaman ym 1959. Felly daeth ei gyfnod fel Ysgrifennydd i ben yn Undeb Môn ac yno, ar 3 Mehefin 1964, cyflwynwyd tysteb iddo i gydnabod ei wasanaeth hir. Yr un pryd etholwyd ef yn Gadeirydd ar gyfer y flwyddyn ddilynol a thraddododd ei anerchiad o'r gadair ar fore dydd Mercher, 12 Mai 1965, yng nghapel Heol Awst Caerfyrddin. Y pwnc y dewisodd siarad oedd. 'Efengyl Iesu Grist, a'r Byd Heddiw', mynegiant cwmpasog o'r ddiwinyddiaeth ryddfrydol honno y glynodd wrthi ar hyd ei oes ac o'i ddiddordeb cyson mewn cwestiynau cymdeithasol a chydwladol.

*   *   *

Bu ei dymor fel Ysgrifennydd yr Undeb yn un nodedig ar lawer cyfrif. Yr oedd yn gyfnod hir – dwy flynedd ar hugain. Bu cyfnewidiadau pur drist yng nghyflwr yr eglwysi ac yng nghyflwr Cymru. Yr oedd gwaith yr Undeb ei hun wedi cynyddu'n ddirfawr a'i adnoddau ariannol yr un modd. Ond yr oedd yn nodweddiadol o Curig Davies na allai ymroddi i ddigalondid. Yn hytrach ymfwriodd gydag egni diflino i'w waith a gadael canolfan newydd a gwasg yn gynhysgaeth i'w olynwyr.

Mr. Davies

RAY REES

Gol: Am faint o flynyddoedd fuoch chi'n ysgrifenyddes i'r Parchg. Curig Davies?

Bûm yn ysgrifenyddes iddo o 1946 hyd 1964, cyfnod o 18 mlynedd. Yr oeddem yn Northampton Place hyd 1958 ac wedyn symud i lawr i'r adeilad newydd yn 11 Heol Sant Helen. Yr oedd y Wasg yno yn barod — wedi symud o Lanelli rai misoedd cyn i ni fynd i lawr. Bûm am ychydig yn gweithio o'r ddau le. Yr oedd eisiau mwy o staff, a hefyd stocio y siop a oedd lawer yn fwy o faint na'r hen un. Yr oedd yn rhaid dodrefnu'r adeilad newydd a'r siop hefyd, a buom yn siopa mewn *auctions* a *sale-rooms* er mwyn cael y math o ddodrefn y tybiai Mr. Davies y byddai'n nodweddu cymeriad y siop a'r swyddfeydd. Cawsom lawer o hwyl yn bargeinio am ddodrefn 'hen ffasiwn' bryd hynny, sydd heddiw â thipyn o werth iddynt.

Gol: Fe welsoch gynnydd yn nifer y staff. Faint oedd y nifer pan oedd Tŷ John Penry ar ei anterth?

Bu cynnydd yn y staff ar ôl symud i'r adeilad newydd, ond yn amser y contract llyfrau, — yn dosbarthu llyfrau i ysgolion Morgannwg i fyny hyd Ben-y-bont — y bu'r mwyaf yn gweithio yn Nhŷ John Penry. Yr oedd y rhan fwyaf ohonynt yn rhan-amser, a bu i fyny i 15 yn gweithio ar y contract. Pan oeddem yn mynd ar *drip* yr oeddem yn llanw dau fws rhwng y wasg, y siop a'r swyddfa, — gydag ychydig o berthnasau a ffrindiau.

Gol: Sut un i weithio iddo oedd Mr. Davies?

Roedd Mr. Davies yn dadol iawn i'w holl staff. Roedd yn cymryd diddordeb mawr ynddynt, ond nid oedd dim yn pasio heibio iddo. Yr oedd yn gweld a chlywed popeth, ac os oedd rhywun yn mentro cymryd mantais arno, byddai'n hir iawn yn maddau, a byddai yn siomedig iawn yn y person hwnnw.

Gol: Caiff pawb yr argraff ei fod yn ddiflino yn ei waith. A ddisgwyliai'r un ymroddiad gyda'i staff? .

Yr oedd yn ddiflino yn ei waith. Yr oedd yn gweithio yn hir iawn yn y nos a byddai'n cychwyn yn gynnar yn y bore. Nid oedd ganddo lawer o syniad am amser, a byddai'n cyrraedd yn hwyr bron i bobman. Os oedd rhyw orchwyl heb ei orffen, byddai'n disgwyl i ni wneud hynny cyn mynd adref, −petai'n rhaid aros a gwneud *overtime,* byddai'n mynd â ni allan am de, i gael *fish and chips.* Yr oedd yn teimlo ei bod yn fraint i weithio yn Nhŷ John Penry ac yr oedd yn disgwyl i ni gyd deimlo felly hefyd.

Gol: Fel gweinyddwr, a oedd yn un trefnus?

Nid oedd yn drefnus, ond yr oedd yn gwybod yn iawn beth oedd yn ei wneud. Er enghraifft, ar ôl y Rhyfel, yr oedd papur yn brin iawn, ac yr oedd yn anodd cael digon i brintio *Tywysydd y Plant* a'r *Tyst.* Yr oedd yr Undeb yn ffodus bod un o drafaelwyr L.S. Dixon, Lerpwl, un o ddosbarthwyr papur mwyaf yn y wlad bryd hynny, yn fab i'r Parchg. O.L. Roberts. Yr oedd llun tad Mr. Roberts ar y wal yn y *board room* yn yr hen swyddfa ymhlith gweinidogion eraill, a byddai ei fab yn galw a rhoi *salute* iddo bob tro. Yr oedd Mr. Davies yn cael mantais felly ac fel rheol yn cael cyflenwad o bapur. Yr oedd yn rhaid gweithio allan faint o bapur oedd eisiau, yn ôl y pwysau, math a maint, a byddai Mr. Davies a'i syms ei hun yn gweithio allan yn ei ffordd ei hun, a byddai fel rheol wedi dod â'r ateb iawn, −cyn y trafaeliwr, −ac yr oedd hyn bob amser yn syndod iddo. Nid oedd yn deall syms Mr. Davies na'r gweithio allan! Yr oedd pob gwybodaeth ganddo yn mynd i bob pwyllgor, ond byddai'r cyfan wedi cymysgu mewn dim gwerth o amser, ond yr oedd ganddo gof da ac os nad oedd y papurau wrth law, byddai'n gallu cofio beth i'w gyflwyno.

Gol: Mae Tŷ John Penry a'r Wasg yn gofgolofnau iddo. Dyma freuddwydion yn cael eu gwireddu. Fyddech chi'n galw Mr. Davies yn freuddwydiwr?

Yr oedd yn freuddwydiwr, er ei fod ef bob amser yn gallu gweld o hyd beth oedd ei eisiau. Yr oedd Tŷ John Penry wrth gwrs yn freuddwyd iddo, a bu'n gweithio am ganolfan i'r Undeb o'r dechrau cyntaf. Yr oedd ganddo'r ddawn i wybod sut i fynd ati i gyflawni unrhyw beth yr oedd am wneud, neu cael gair â rhywun a fyddai'n medru ei gynorthwyo. Er enghraifft, os oedd arno eisiau gwybod rhywbeth am hawliau adeiladu yn Heol Sant Helen, a chael caniatâd i gario ymlaen, byddai'n aros i weld y *Town Clerk* ar y *car-park* wrth y Guildhall amser cinio, cael pob gwybodaeth yr oedd ei angen, heb fynd drwy'r holl ffwdan o gael *appointment* ag ati.

Gol: Fel Ysgrifennydd Undeb yr Annibynwyr, fyddech chi'n dweud fod ganddo ryw freuddwydion am yr enwad. Er enghraifft, faint o ecwmenydd oedd e'?

Yr oedd yn ecwmenydd. Yn ei ddyddiau cynnar yr oedd yn gyfeillgar iawn â Dr. Sidney Berry, Ysgrifennydd Cyffredinol y *Congregational Union of England and Wales*. Trwy gydweithio ag ef daeth yr Undeb yn aelod o Gyngor Eglwysi Prydain a Chyngor Eglwysi'r Byd ar ôl hynny. Bu'n gweithio i gael cydweithrediad rhwng yr enwadau yng Nghymru ar hyd ei yrfa. Dechreuwyd llyfr emynau rhwng y pedwar enwad, ond ni ddaeth dim ohono. Nid oedd eisiau gweld y cofnodolion oedd gan y gwahanol enwadau, sef *Tywysydd y Plant, Y Drysorfa,* etc. yn gorffen a chael un cyfnodolyn ar gyfer y plant, gan ei fod yn teimlo fod un ar gyfer pawb yn mynd i berthyn i neb, ac yr un fath gyda'r defnydd ar gyfer y rhai mewn oed, sef *Y Dysgedydd, etc.*

Gol: Mae gennych lawer o storïau. Pa rai sy'n sefyll allan yn y cof?

Mae'n anodd cofio am unrhyw storïau, gan fod popeth yr oedd yn ei wneud yn stori ymron. Mae'r hanes amdano yn mynd ar y trên, ac yn y blaen i arbed arian yn wir, a gwnaeth lawer iawn o bethau i geisio gwneud hynny. Pan oedd y wasg yn Llanelli byddem yn mynd i lawr yno o'r swyddfa yn Abertawe yn ein tro i bacio'r *Tyst* a'r *Tywysydd* a'r *Dysgedydd,* – er mwyn arbed gweithwyr y wasg oedd yn cael eu talu wrth yr awr – i wneud gwaith felly. Byddem yn mynd yn ei gar neu ar y trên. Byddem yn cael llawer o hwyl bryd hynny – pawb yn ieuanc yr amser hynny wrth gwrs.

Yr oedd yn gallu gweld ymlaen ymhell a datrys problemau mewn ffyrdd na fyddai neb arall yn breuddwydio amdanynt. Pan oedd y *Festival of Britain* ymlaen yn 1951, penderfynwyd cynnal Cymanfa Ganu yn Neuadd y Brangwyn, Abertawe, gyda Ivor Owen yn arwain. Yr oedd yn rhaid cael emynau a thonau cyfarwydd gan y byddai'r gynulleidfa yn cynrychioli pob enwad yno. Dewiswyd y rhan fwyaf o'r tonau o'r *Caniedydd* neu y *Llawlyfr Moliant,* a'r Annibyn-wyr i fynd yn gyfrifol am gyhoeddi'r llyfryn. Ni ofynnwyd tâl am hawlfraint ar un o'r tonau, ar wahân i 'Cwm Rhondda'. Gan fod eisiau cadw pris y llyfryn i lawr penderfynwyd peidio â chynnwys y dôn adnabyddus hon. Yr oedd Ivor Owen wedi cael tipyn o siom, gan y gwyddai y byddai canu da ar y dôn, ond fe ddaeth E.C.D. i'r adwy. 'Fe wnawn gynnwys y geiriau,' meddai, 'ac fe rown un o ddonau'r Annibynwyr wrth ei phen, ond fe ganwn y geiriau ar y dôn *Cwm Rhondda*. Mae'r dôn yn ddigon adnabyddus i bawb, felly nid oes raid ei hargraffu.' Ac felly y bu. Yr oedd y peth yn gwbl gyfreithlon, gan mai am gynnwys y dôn oedd eisiau talu hawlfraint, nid oedd eisiau dim am ei chanu. Dyma'r llyfryn a werthwyd wedyn o dan yr enw 'Gemau'r Cysegr'.

Gol: Fyddech chi'n dweud fod ganddo ragfarnau cryf? — am rai pobl, er enghraifft.

Yr oedd ganddo ragfarnau cryf yn erbyn llawer a fu'n gweithio yn erbyn adeiladu Tŷ John Penry, a llawer iawn o bethau eraill a wnaeth yn amser ei ysgrifenyddiaeth. Yr oedd yn newid pethau'n rhy gyflym i siwtio rhai pobl, ond yr oedd ganddo ffrindiau a safodd y tu ôl iddo ac a fu'n gefn iddo pan oedd eraill yn ei erbyn. Bu Joseph Jones yn ffrind mawr iddo, ac wrth gwrs D.J. Davies Capel Als a oedd yn gefnder iddo. D.J. James, Gorseinon yn un arall. Nid enwaf y rhai a fu yn gweithio gymaint yn ei erbyn, gyda'r Wasg, y Tŷ ac hefyd ynglŷn ag uno'r enwadau pan ddaeth cynnig Syr David James. Yr oedd yn sensitif iawn i rai o'r pethau a ddywedwyd amdano, a chafodd ei frifo fwy nag unwaith, ond fe ddaeth yn y diwedd i beidio poeni gymaint ac i wneud fel yr oedd am wneud heb ofni unrhyw feirniadaeth.

Gol: Pa mor agos oeddech chi yn y trafodaethau ar uno'r enwadau gyda Syr David James?

Pan ddaeth y cynnig oddi wrth Syr David James fe gasglodd yr holl lythyrau a oedd wedi dod oddi wrth yr eglwysi oedd dros y cynnig ac aeth i Lundain i'w weld, a dangos yr holl ohebiaeth iddo. Mae yr holl ohebiaeth hynny yn rhywle nawr, — a rhyw dair llawn *file* fawr. Fe ddaeth Syr D.J. ag yntau yn ffrindiau a bu llawer o siarad ar y ffôn rhyngddynt. Yn y diwedd daeth *phone-call* o Lundain, yn dweud fod Syr David wedi penderfynu rhoi £25,000 heb unrhyw reidrwydd ar yr eglwysi i uno. Cyn diwedd y bore daeth un arall, a'r cynnig wedi codi i £50,000. Erbyn diwedd y prynhawn yr oedd wedi penderfynu rhoi y £100,000. Fe dawelodd hyn yr holl siarad a'r holl sbri a wnaed ar ben Syr David James am geisio ymyrryd mewn pethau enwadol, a hefyd ar E.C.D. am fynd ymlaen gyda'i syniadau. Fe ddaeth y ddau yn ffrindiau rwy'n meddwl, am eu bod rhywbeth yn debyg. Nid oedd ofn dweud beth oedd ar eu meddwl ar yr un ohonynt, ac yr oedd Syr. D.J. James yn edmygu E.C.D. am ei safiad mewn llawer achos. Pan gafodd D.J.J. ei dderbyn i'r Orsedd yn Eisteddfod Abertawe, cynhaliwyd y seremoni yn Neuadd y Brangwyn am ei bod yn bwrw glaw. Cododd pawb ar eu traed â chlapio pan gafodd ei gyflwyno, a chafodd yr hen ddyn ei blesio'n fawr iawn. Ednyfed oedd wedi mynd i'w gyrchu o'r stesion, ac ef a ofalodd amdano ar hyd y dydd. Yr oedd cymaint o bobl wedi ysgwyd ei law, yr oedd wedi mynd yn ddu, ac wedi achosi dipyn o boen iddo.

Yn yr adeg honno, dim ond un Ymneilltuwr oedd ar bwyllgor Ymddiriedolaeth Pantyfedwen. Cafodd E.C.D. fynd ar wahoddiad David James fel sylwebydd, ac ar ôl hynny yn aelod o'r pwyllgor, gyda'r ymneilltuwr arall, a oedd bob amser yn Bresbyteriad. Ar ôl hynny fe newidiwyd y Cyfansoddiad, ac erbyn hyn y mae gan bob enwad gynrychiolydd ar yr Ymddiriedolaeth.

Gol: Roedd yn gyfaill i ambell un anuniongred fel y Parchg. Leon Atkin yn Abertawe. Beth oedd yn cyfrif am hynny?

Yr oedd yn gyfaill i Leon Atkin, a byddai hwnnw yn galw mewn i'w weld yn reit aml. Fe gymerodd ei le mewn llawer priodas neu angladd pan oedd L.A. yn eisiau a neb y gwybod ble yr oedd, ar adegau pan yr oedd i fod i wasanaethu. Yr oedd Leon Atkin yn gwneud gwaith da yn y dref gyda chardotwyr etc. ac yn cael lle iddynt yn ei eglwys, yn y crypt, ond mae'n rhaid i mi ddweud na fu gennyf i lawer o feddwl ohono. Roedd yn ormod o *showman* yn fy nhŷb i, ond efallai fy mod yn gwneud cam ag ef. Ond er fod E.C.D. yn gyfeillgar ag ef, nid wyf yn meddwl ei fod yn cyd-fynd â phopeth yr oedd yn ei wneud.

Gol: A fyddai'n sôn am ei feysydd gweinidogaethol?

Yr oedd yn sôn llawer am yr eglwysi y bu yn weinidog arnynt, ac yn enwedig am Gydweli, lle yr oedd Capel Sul wedi cael ei adeiladu yn ei gyfnod yno fel gweinidog. Os byddai taith gennym i gyfeiriad Caerfyrddin, yr oedd yn rhaid mynd trwy Gydweli. Byddem yn aros ar hyd y ffordd a phawb yn ei nabod, – 'Mr. Davies, Capel Sul' oedd i'r bobl yno ymhell ar ôl gadael. Byddai yn mynd yn ôl i bregethu yn achlysurol i'r Bynea, ond ni chlywais ef yn siarad mwy na mwy am ei gyfnod ym Mangor. Nid wyf yn meddwl iddo erioed edifarhau ar ôl gadael y weinidogaeth i fod yn Ysgrifennydd Cyffredinol, a gweld eisiau bod yn weinidog fel y gwnaeth bron pob Ysgrifennydd ar ei ôl. Teimlai ei fod yn yr union swydd lle dylai fod er mwyn gweithio ar ran yr eglwysi, ysgolion Sul, a gweinidogion a gweddwon, a gwneud ei orau i edrych ar ôl pawb.

Gol: Faint o hiwmor oedd ganddo?

Yr oedd yn llawn hiwmor; yr oedd ganddo chwerthiniad iach, a byddai ei ysgwyddau yn symud i fyny ac i lawr, a byddai yn ddigon parod i chwarae *joke* ar unrhyw un, ac hefyd adrodd storïau doniol. Byddai ganddo lawer o storïau am bobl Sir Benfro, yn ffermwyr a gweinidogion. Yr oedd ganddo gof eithriadol am gymeriadau, pregethwyr mewn Cymanfaoedd a'u testunau etc.

Yr oedd ganddo lawer o luniau o'i ddyddiau Coleg, – Coleg Caerfyrddin a'r hen ysgol yng Nghaerfyrddin. Yr oedd y myfyrwyr bryd hynny yn lluosog, ond yr oedd yn cofio'u henwau i gyd. Yr oedd yn gwybod ble yr oeddent wedi mynd i weinidogaethu, pwy oedd wedi mynd at y Saeson, pwy oedd yn dal yn fyw a phwy oedd wedi marw. Yr oedd ganddo ddiddordeb mawr ym mhawb, a chonsyrn amdanynt. Bu ei fam byw yn go hen, ac yr oedd ei chof hithau yn dda hyd y diwedd. Bu rhywun o'r BBC yn recordio rhai o'i hatgofion, a'i dywediadau am yr hen amser yn y Sir.

Gol: Daethoch yn agos at Mrs. Davies ac Ednyfed. Roedd Mrs. Davies yn gymorth mawr iddo yn ei waith, onid oedd?

Cefais fy mabwysiadu bron gan Mr. a Mrs. Davies, a mynd gyda hwy i bobman yn y dyddiau cynnar. Mae cymaint a wn am y Gogledd wedi dod wrth deithio gydag ef. Byddem yn cymryd diwrnod cyfan i fynd i'r Gogledd o'r bore bach hyd hanner nos ambell waith, yn galw mewn mynwentydd, mynd i weld ble yr oedd rhywrai neu'i gilydd wedi eu geni, a cholli'n ffordd ym mhobman! Nid oedd Mrs. Davies yn fodlon iddo yrru yn rhy gyflym, a byddai'n eistedd yn y sêt ôl yn dweud 'Gwyliwch Benser' bob hyn a hyn. Wedi i mi ddysgu gyrru byddai ef yn eistedd yn sêt y *passenger,* a hithau yn y cefn, ac yn ddigon hapus. Yr oedd hi yn gymorth ac yn gefn iddo, – yn pryderu llawer amdano pan oedd cymaint o siarad a beirniadu arno, ond ni fyddai byth yn gwrando ar ddim yn ei erbyn.

Gol: A oes gennych atgofion am droeon trwstan?

Bu llawer o droeon trwstan, ond yr oedd ganddo'r ddawn o droi pethau i'w ffordd ef o feddwl. Byddai rhywun mewn pwyllgor yn ei herio ambell dro, ond byddai gydag ef ateb bob amser. Byddem yn cyrraedd yn ddiweddar yn aml iawn i bwyllgorau, a byddai ambell aelod yn gas wrtho, ond fel rheol fe fyddai ganddo esgus i'w roi, a rheswm digonol bron bob amser. Bu'r Cyngor yn Abercraf, ac ar fore'r diwrnod olaf fe ddaeth llythyr dan y drws oddi wrth y 'cymwynaswr dienw' yn rhoi swm sylweddol at y symiau yr oedd wedi eu rhoi o'r blaen. Aethom yn fwriadol hwyr y bore hwnnw, a chafodd hwyl i weld ambell wyneb sur yn troi'n wên wedi cael y newyddion da. Bu'r 'cymwynaswr' heibio i'r swyddfa fwy nag unwaith. Y tro cyntaf y ddaeth yma nid oedd neb yn gwybod pwy ydoedd, hyd yn oed E.C.D. ei hun. Rhoddodd y gyfran gyntaf tuag at roi rhoddion Nadolig i'r gweinidogion wedi ymddeol a gweddwon. Dyna pryd y dechreuwyd yr arfer o anfon rhoddion Nadolig. Nid oedd dim wedi ei anfon cyn hynny. Fe ddaeth yn gyfeillgar ag E.C.D. a chadwodd y ddau mewn cysylltiad.

Fe wnaeth E.C.D. lawer i wella pensiynau gweinidogion. Fe dalwyd yr holl bensiynau o Lundain o gronfa a oedd wedi ei chasglu rhwng y ddau enwad. Bach iawn oedd y symiau, rhyw £60.00 y flwyddyn i weinidogion a £25.00 i weddwon. Fe ddaeth yr amser pan oedd yr Undeb Saesneg yn mynd i drosglwyddo cyfran yr Undeb Cymraeg er mwyn i'r Cymry gael eu talu allan o Abertawe. Fe aeth E.C.D. gydag eraill i'r pwyllgor yn y Memorial Hall, Llundain i setlo mater y swm a oedd i'w drosglwyddo. Yr oedd cynnig y Saeson yn ei dŷb ef yn llawer rhy isel, a cherddodd allan o'r pwyllgor a dod yn ôl i Abertawe. Fe gymerodd y pwyllgor sylw o beth oedd wedi ei ddweud, a chodwyd y swm yn sylweddol. O'r swyddfa yn Abertawe y talwyd y pensiynau ar ôl hynny, a gwnaeth ei orau i'w gwella.

Fe ddechreuodd Cynllun yr Atlas yn amser ei Ysgrifenyddiaeth a bu yn y Cyrddau Chwarter bron bob un yn ceisio cael yr holl weinidogion i mewn i'r cynllun. Bu'n ysgrifennu'n bersonol, ac ymweld â gweinidogion er mwyn eu hargyhoeddi. Fe ymunodd y rhan fwyaf o'r gweinidogion yn y Cynllun yn 1958, – hyd yn oed y rhai oedrannus, – gan eu bod yn gweld y byddai nifer mwy yn golygu elw i'r gweinidogion ieuainc yn y dyfodol.

Yn ystod ei ysgrifenyddiaeth y dechreuwyd gyda chwmni'r *General Accident* i yswirio adeiladau eglwysi etc. Fe lwyddwyd i gael bron hanner yr eglwysi ar yr ymgyrch gyntaf. Fe fu dipyn o wrthwynebiad oddi wrth y Cwmni a oedd yn gwneud y gwaith eisoes, ond fe safodd yn gadarn yn eu herbyn, ac y mae'r gwaith yswiriant erbyn heddiw yn dod â chomisiwn go dda i'r Undeb.

Nid oedd yn ofni cymryd mantais ar unrhyw dechnoleg newydd. Yr oedd gennym beiriant i ddyblygu llenyddiaeth i'w anfon allan i'r eglwysi, o'r math gorau, yn defnyddio dau liw, er mwyn i ni arbed arian ar brintio. Yr oedd hyn wrth gwrs yn y dyddiau cynnar cyn bod Gwasg John Penry mewn bodolaeth.

Pan glywodd fod yn bosib cael peiriant i roi tapiau arno, *tape recorder,* fe brynodd un iddo ef ei hun ar unwaith, — o'i boced ei hun. Ar wahân i gwmni'r BBC nid wyf yn credu fod un arall yn Abertawe yr adeg honno. Yr oedd Billy Graham yn digwydd bod ar daith yn Lloegr tua'r amser hyn, ac wedi rhoi addewid i ddod i bregethu i gapel Mount Pleasant yn Abertawe. Fe roddwyd tocynnau i'r aelodau er mwyn iddynt fynd yno i wrando arno, a rhoddwyd sistem i fyny o'r capel i drosglwyddo'r gwasanaeth i'r festri i'r cannoedd a oedd wedi methu cael tocyn. Ar y funud olaf methodd Billy Graham â dod, ac anfonwyd tapiau i lawr o rai o'i bregethau a'i anerchiadau. Cafodd cynulleidfa eglwys Mount Pleasant siom fawr, ac nid oeddynt yn sicr beth i wneud â'r tapiau, gan nad oedd gan neb beiriant i'w chwarae yn ôl. Fe gofiodd rhywun fod gan y Parchg. Curig Davies beiriant o'r fath a daeth rhyw bedwar o'r aelodau i lawr â'r tapiau i'r swyddfa yn Northampton Place. Peiriant Almaenig mawr — Grundig — oedd gan Mr. Davies, ac am ryw reswm nid oedd yn medru chwarae tapiau Americanaidd, ac wrth geisio eu chwarae yn y swyddfa fe sychwyd dwy bregeth oddi ar y tapiau ac fe'u collwyd. Fe gafodd E.C.D. rhyw ffordd i'w chwarae yn y diwedd, ond cyfarfod byr iawn a gafwyd y noson honno yng nghapel Mount Pleasant, ond ni fyddai un wedi bod yno o gwbl oni bai am y Grundig.

Fe feddyliodd unwaith y byddai yn gallu rhoi ei lythyrau i gyd ar dâp ac i mi eu teipio yn syth, ond ni weithiodd hynny gan fod sŵn y *typewriter* yn boddi ei lais ar y tâp. Fe gafodd Ednyfed i roi rhyw declyn arno, yr oedd yn bosibl imi ei weithio gyda'm troed i stopio'r tâp i droi. Byddwn yn gwrando ar linell, yna stopio'r tâp, ac yn teipio o'm cof. Yr oedd wedi dyfeisio rhyw fath o *audio typing* ymhell cyn i'r sistem honno gael ei dysgu yn gyffredinol i weithwyr mewn swyddfeydd ac ati a oedd yn defnyddio *typewriter.*

Gol: Bu'n weithiwr mawr gyda Chynhadledd yr Ysgol Sul yn Aberystwyth. Pa atgofion sydd gennych o'r cyfnod hwnnw?

Yr oedd yn weithgar iawn gyda Ysgol Haf yr Ysgol Sul ymhell cyn iddo ddod yn Ysgrifennydd. Yr oeddwn yn mynd gydag ef o 1947 ymlaen. Yn Harlech y'i cynhaliwyd bryd hynny, ac yr oedd yn cael ei rhedeg yn wahanol iawn i heddiw. Roedd y darlithwyr i gyd yn rhoi eu gwasanaeth am ddim, ac yr oedd yn llwyddo i gael digon o amrywiaeth bob blwyddyn. Yr oedd yn talu treuliau teithio iddynt, ac wrth gwrs yr oeddent yn cael cyfle i aros yn yr Ysgol ar hyd yr wythnos os dymunent. Yr oedd llawer ohonynt hyd yn oed yn dychwelyd eu treuliau teithio.

Gol: Am beth y byddwch yn cofio E.C.D. orau?

Nid wyf yn siwr am beth y cofiaf ef orau, gan fod cymaint o bethau gwahanol yn perthyn iddo. Rwy'n meddwl fod ei ofal am bawb yn un o'r pethau y cofiaf orau. Yr oedd yn mynd allan o'i ffordd bob amser i wneud cymwynas. Gwyddai am amgylchiadau rhai pobl dlawd, ac yr oedd yn casglu dillad etc. iddynt, ac yr oedd ganddo ffordd o gyflwyno pethau heb i neb deimlo cywilydd wrth dderbyn. Byddai'n mynd i ysbytai i weld cleifion o bob enwad ac yn treulio llawer o'i amser yn ymweld.

Yr oeddem wedi bod mewn cyfarfodydd yng Nghaerdydd rhyw dro yng nghanol haf, rwy'n meddwl mai dod adref o Gyfarfodydd yr Undeb yr oeddem. Fi oedd yn gyrru'r car, ac yr oedd rhywbeth yn bod arno, ac yr oeddwn yn dechrau ofni na fyddwn yn cyrraedd adref cyn torri lawr. Yr oeddem wedi pasio Penybont-ar-Ogwr pan gofiodd yn sydyn fod y Parchg. Joseph James, Llandysilio yn wael iawn mewn ysbyty tu allan i Gaerdydd. Yr oedd yn rhaid troi'r car, a mynd yn ôl bob cam. Nid oedd am wrando arnaf pan soniais efallai na fyddai'r car yn medru cyrraedd yr ysbyty, a bod posibilrwydd i ni orfod ei adael a mynd adref rhyw ffordd arall. Nôl yr aethom, ac er fy syndod fe gadwodd y car i fynd. Bu gyda Joseph James am beth amser yn yr ysbyty. Yr oedd yn boeth iawn i mewn yno ag yntau mor wael. Yr oedd Mr. Davies ei hun yn sâl bob cam adref. Bu Joseph James farw mewn byr amser ar ôl hynny, ac yr oedd yn teimlo mor falch ei fod wedi mynnu mynd yn ôl i'w weld. Rwy'n credu mai pethau fel hyn fydd yn dod i gôf wrth feddwl am Mr. Davies—byth yn meddwl amdano'i hun, ac yn mynd allan o'i ffordd bob amser i wneud caredigrwydd a chymwynas.

Nid ydwyf wedi dweud dim am y llyfrau a gyhoeddwyd ac a

ysgrifennwyd ganddo, gan fod eraill wedi gwneud hynny. Byddai yn treulio llawer o'i amser yn y Wasg, ac yr oedd yn gwybod gryn dipyn am waith cysodi ac argraffu. Yr oedd mwy nag un undeb yr oedd gweithwyr y Wasg yn perthyn iddynt yr amser hynny, ac yr oeddynt yn gweithio yn erbyn ei gilydd ambell dro. Yr oedd un dyn yn arbennig a oedd yn undebwr cryf, a phe bai E.C.D. yn rhoi ei droed i lawr a dweud fod yn rhaid iddynt gydweithio byddai'r person yma yn gofyn i ysgrifennydd yr undeb yn yr ardal i ddod yno i bwyso ar E.C.D. mai'r undeb oedd i fod i reoli'r gwaith. Roedd Mr. Davies yn sefyll i fyny yn erbyn hyn, ac yn dweud yn reit benderfynol, os nad oedd y wasg yn cael ei gweithio yn ei ffordd ef, buasai'n rhaid ei chau i lawr. Ni chafwyd dim trafferth gyda'r undebau ar ôl hynny.

Dyn Llafur ydoedd, ac yr oedd wrth ei fodd pan enillodd Ednyfed y sedd oddi ar Peter Thomas yng Nghonwy. Petai E.C.D. yn anfon gair at unrhyw aelod seneddol ac yn disgwyl ateb, byddai bob amser yn anfon *stamp*. Yr oedd yn gwybod fod yn rhaid i'r aelodau dalu am bob gohebiaeth allan o'u pocedau eu hunain.

Wedi ysgrifennu'r cyfan yma, nid wyf yn meddwl fy mod wedi gwneud cyfiawnder ag ef, gan ei fod yn ddyn mor eithriadol, ac a ddylanwadodd ar lawer – minnau hefyd. Gwnaeth gymaint o waith nad oedd neb yn gwybod amdano, gyda ieuenctid, plant, gweinidogion, eglwysi – mae'r rhestr yn ddiddiwedd, ac yn un o'r dynion caredicaf a chywiraf y deuthum i'w adnabod erioed. Yr oedd ganddo fywyd cartref hapus iawn, a Mrs. Davies yn gofalu amdano, a gwneud ei gorau i weld ei fod yn cychwyn i bobman mewn digon o amser, ac yn mynd â phopeth gydag ef. Yr oedd yn mynd â llawer o waith adref a hi fyddai yn darllen proflenni y cyfnodolion a'r llyfrau i'r wasg pan na fyddai neb arall i wneud y gwaith, a'r cyfan i gyd yn ddi-dâl.

Ni chafodd gyflog fawr trwy gydol ei ysgrifenyddiaeth ond bu ei waith yn codi'r trysorfeydd yn gymorth i'r gweithwyr a ddaeth ar ei ôl i gael cyflogau gwell.

Ni fyddai Tŷ na Gwasg John Penry yma heddiw oni bai am ei weledigaeth. Cafodd llawer o bobl waith yn sgîl hyn, ac y mae darlun gwych y Parchg. Ieuan Jones yn y capel yn y Tŷ i'n hatgoffa ni i gyd am hyn.

Y Breuddwydiwr Effro

IEUAN S. JONES

Yn y flwyddyn 1974, yn dilyn sgwrs â'm cyfaill a'm cydweithiwr Y Parchedig Trebor Lloyd Evans, Ysgrifennydd Cyffredinol yr Undeb ar y pryd, mentrais roi cynnig ar y dasg anodd o wneud portread mewn olew o'r Parchedig E. Curig Davies, i'w osod ar fur y capel yn Nhŷ John Penry fel arwydd o barch tuag ato, a theyrnged i'w lafur enfawr dros yr Undeb a'r enwad.

Nid yw gwneud portread ar gynfas fyth yn orchwyl hawdd. Yn un peth rhaid sicrhau tebygrwydd, a gall y gorchwyl hwnnw fod mor anodd â gosod cannoedd o ddarnau tebyg i'w gilydd o *jig-zaw* ynghyd yn un darlun cyflawn. Ond mae mwy mewn portread na thebygrwydd mecanyddol. Rhaid cyfleu'r cymeriad a'r bersonoliaeth, – tasg sy'n amhosibl ei diffinio. Ond yr oedd cymlethdodau ychwanegol wrth fynd ynglŷn â'r gorchwyl o wneud llun o Curig Davies! Rhaid oedd cael ei ganiatâd i fynd ynghyd â'r gwaith. Nid ar chwarae bach y cafwyd perswâd arno. Wedyn, roedd yn ddyn hynod o swil, ac yr oedd ymron yn amhosibl i'w gael i eistedd yn llonydd, heb sôn am gadw'i wynepryd heb guchio! Nid oed dim amdani ond tynnu nifer o luniau du a gwyn ohono â chamera a defnyddio'r rheini i ddiben y portread ar gynfas. Nid gorchwyl hawdd oedd ei gael i sefyll o flaen camera heb iddo wneud stumiau ar ei wyneb yn anfwriadol. Roedd yn eglur fod yr holl orchwyl yn groes-graen ganddo. Wedi gweithio ar y portread dros gyfnod ar oriau hamdden, daeth y dydd i'w ddadorchuddio gan ei briod, Enid. Fy moddhad pennaf wedi cwblhau'r dasg oedd derbyn ei chymeradwyaeth hi i'r gwaith gorffenedig. Wedi hynny deuai Curig yntau, ymron yn llechwraidd, i Dŷ John Penry i syllu ar ei lun, gan sleifio allan yr un mor ddistaw. Barned eraill a fu fy ymgais yn llwyddiannus neu beidio, ond ceisiais gyfleu ar gynfas ddarlun o ŵr dwys, swil, breuddwydiol a gwelw ei wedd, ond yr un pryd yn ddyn cadarn a phenderfynol.

Y mae llawer un wedi breuddwydio breuddwydion, ond ysywaeth ciliasant fel niwl bore o haf gyda chodiad haul. Cofiwn am Curig Davies fel person a welodd wireddu ei freuddwydion trwy lafur caled a phenderfyniad di-ildio. Yr oedd ef yn adeiladwr yn ogystal â breuddwydiwr. Roedd nodweddion y breuddwydiwr yn ysgrifenedig ar ei wyneb, – yr wyneb gwelw, ei wên swil a'i lygaid llonydd, fel petai'n edrych draw i gyfeiriad rhyw orwelion pell. Yn wir, yr oedd fel gŵr yn rhodio'r bryniau yn fuan wedi toriad gwawr yn nhymor yr Hydref. Gwelai amlinell y copaon draw yn eglur, ond yn y dyffryn rhyngddo a hwy roedd niwl trwchus ar brydiau! Ond credai fod yna ffordd drwy'r dyffryn. Nid oedd ei feddyliau, mwy na'i bapurau, bob amser yn drefnus iawn, ond ys dywedodd wrth chwilio, 'Ma nhw 'ma yn rhywle!' Cymerai ei freuddwydion amser i ymffurfio'n weledigaeth eglur, ond yr oedd yn gwbl siŵr o'r nod yr oedd i ymgyrraedd ati. Ac yr oedd ganddo'r amynedd i ddisgwyl y weledigaeth eglur, a'r penderfyniad diwyro i fwrw ymlaen, costied a gostio.

Fel pob gweledydd o'i flaen ac ar ei ôl, cafodd ei feirniadu, ei wawdio, ac weithiau ei ddirmygu. Er iddo fwrw ymlaen gyda'i gynlluniau, fel petai pob beirniadaeth fel dŵr ar gefn hwyaden, oddi mewn yr oedd yn ddyn sensitif iawn a deimlai i'r byw pan fyddai ei fwriadau ar gyfer yr enwad yn cael eu camesbonio a'u camddehongli. Arhosodd y creithiau ar ei enaid drwy'r blynyddoedd, ond gofalai eu cadw o'r golwg. Mae'n siŵr ei fod wedi maddau, oherwydd nid oedd dal dig yn rhan o'i natur, ond ni fedrodd anghofio. Cofia'r hynaf ohonom gydag edmygedd diddiwedd ei ymdrechion i sicrhau gwasg i'r enwad, canolfan deilwng i'r Undeb, cyllid digonol i redeg yr enwad ac yn arbennig gronfa i gynorthwyo achosion tlawd. Yr oedd ei ofal dros weinidogion a'u gweddwon yn faich trwm ar ei galon. Ni welodd sylweddoli ei holl freuddwydion, ond gofynnaf yn aml lle byddem ni heddiw fel Undeb ac enwad onibai am ei weledigaeth a'i ymroddiad. Nid un copa a welodd ar y gorwel, ond llawer, a thasg a fu'n dreth ar ei nerth fu ceisio eu dringo bob un. Cofiaf yn dda am y Parchedig Trebor Lloyd Evans, ei olynydd, yn dweud wrthyf un tro, — 'Pan ddois i i'r swydd hon, gosodais yn nod i mi fy hun ddiogelu a hybu'r etifeddiaeth a adawodd Curig i ni fel enwad.' Ac fe wnaeth hynny.

Clywais y diweddar Stuart Craig, yr Ysgrifennydd Cyffredinol yn Livingstone House yn niwedd y chwedegau a dechrau'r saithdegau, yn dweud wrth ddraddodi cyfarchion y staff i fachgen annwyl iawn a wasanaethodd am gyfnod fel pennaeth un o'r adrannau, ond a benderfynodd dderbyn galwad i un o eglwysi Lloegr, — 'I pray that the Good Lord will graciously confine Mr. N—to one vision per week'. Roedd y bachgen hwnnw'n llawn syniadau, ond ychydig ohonynt a ddaeth i'r lan. Gwahanol iawn ydoedd yn hanes Curig; cafodd ef lawer gweledigaeth ac fe wireddwyd llu ohonynt.

Sut y llwyddodd i gyflawni cymaint? Yn un peth, nid oedd oriau i'w ddydd gwaith. Nid oedd arlliw o hunanoldeb ar un o'i freuddwydion. Roedd yn gwbl anhunanol. Yr Undeb, y Wasg, y siop, y contract llyfrau i ysgolion, gwaith yr Ysgol Sul, gofal am eglwysi, am weinidogion a'u gweddwon oedd ei gonsyrn. Ni feddyliodd erioed am ei lafur fel aberth, ond dyna ydoedd. Er mwyn arbed costau i'r Undeb teithiodd gannoedd o filltiroedd wedi gorffen ei waith yn y swyddfa i gludo llyfrau i ysgolion, a'r hen 'Riley' ffyddlon yn tuchan dan lwythi trymion.

Dewisai ei staff yn ofalus, a byddai'n dra llygadog uwch eu pen, gymaint felly fel y cyhuddid ef weithiau o fusnesu yn eu gwaith — a thebyg fod peth gwirionedd yn y cyhuddiad! Hawdd deall y fath agwedd ag yntau'n weithiwr mor ddiarbed. Bu'n fawr iawn ei ddyled i'w ysgrifenyddesau, — Mrs. Eurof Jones a Miss Ray Rees, a bu'n uchel ei glod ohonynt.

Ef fyddai'r cyntaf i gydnabod mor ffodus fu yn ei gyfeillion. Pwy a ddewisodd pwy? Tebyg fod yr atyntiad o'r naill ochr a'r llall. Byddai'n hael ei glod i'r cyfeillion hyn, — pobl a'i cynghorai'n ddoeth ar sail eu profiad maith ym myd masnach a chylchoedd eraill. Fwy nag unwaith fe'i clywais yn dweud mewn sgwrs breifat wrth sôn am Dŷ John Penry, y Wasg, ac ati, — 'Fyddai gyda ni fel enwad ddim o'r peth a'r peth onibai am hwn a hwn. Roedd e' y tu ôl i mi bob cam, ac yr oeddwn i'n teimlo'n gwbl ddiogel i fwrw ymlaen'. Lleygwyr profiadol a deallus oedd y rhain ymron i gyd.

Rhaid sôn yn y cyswllt hwn gymaint fu cefnogaeth ei briod annwyl a galluog iddo bob cam o'r daith. Nid yn unig yr oedd yn gefn iddo ac yn barod i rannu'r aberth a'r baich, yn arbennig ynglŷn â gwaith llenyddol yr Undeb, ond yr oedd yn ei ddeall i'r dim ac yn melysu pob problem â'i hiwmor caredig.

Ond os meddai Curig ar ddawn y gweledydd a phenderfyniad yr arloeswr, ni freintiwyd ef â dawn cyfathrebu, — o leiaf ar dafod leferydd. Ni feddai'r ddawn i droi barn pwyllgor neu gynhadledd â'i huawdledd neu rym ymresymu. Yn anaml y llwyddodd i ddeffro brwdfrydedd dros ei achos. Llafurus yn aml fyddai ei gyflwyniad, ac aneglur fyddai ei ymresymu, ond gwyddai ei wrandawyr yn dda fod diffuantrwydd llwyr a lles yr Undeb a'r enwad yn blaenori popeth yn ei ymdrechion. Ni feddai'r ddawn amheus o chwarae i fyny i bobl yn ffals er mwyn cyrraedd ei amcanion. Yn wir byddai hynny'n atgas yn ei olwg. Ni fedrai oddef ffyliaid yn wenieithus. Pan welai'r llanw yn troi i'w erbyn, ni chollai ei dymer, ond yn hytrach ymddistawai ac aros am gyfle arall i ddadlau ei achos.

Gall arall sôn am ei gyfraniad llenyddol gwerthfawr i'r enwad ac i Gymru. Ym myd diwinyddiaeth, cynnyrch ei gyfnod ydoedd. Yr oedd yn rhyddfrydwr yn ystyr ehangaf y gair. Ni chynhesai ei galon tuag at ddiwinyddiaeth gyfundrefnol neu haniaethol, nac at uniongrededd academaidd. Iddo ef, fel i'r Cristnogion cynnar, 'y ffordd' oedd yr Efengyl, ac yn fwyaf arbennig y ffordd i greu perthynas gariadlon a chyfiawn o fewn cymdeithas ac ymhlith cenhedloedd. Roedd stamp traddodiad gorau Coleg Presbyteraidd Caerfyrddin yn drwm ar ei argyhoeddiadau. Efengyl Duw trwy Iesu Grist ar gyfer pobl oedd sylfaen ei Gristnogaeth. Yn ffyddlon i hen ddraddodiadau bro ei febyd, yr oedd gwaith yr Ysgol Sul yn agos iawn at ei galon, ac yn arbennig yr Ysgol Haf yn Aberystwyth. Cafodd cyhoeddi llenyddiaeth ar gyfer plant flaenoriaeth yn ei aml weithgareddau.

Gall arall, mwy cyfarwydd â'r manylion, sôn am y modd yr ymdrechodd, ac y llwyddodd, i sicrhau cannoedd o filoedd o bunnoedd i wahanol gronfeydd yr enwad. Byddai wedi bod yn fain iawn arnom fel Annibynwyr heb yr elw cyson o ddaeth i ni o'r buddsoddion hyn.

Fel pawb ohonom, nid oedd E. Curig Davies heb ei ffaeleddau, ac ef fyddai'r cyntaf i gydnabod hynny, ond heddiw gwelwn fod ei rinweddau a'i gyflawniadau yn troi'r dafol yn bendant iawn yn ei ffafr. Er sefydlu'r Undeb yn 1872, ychydig iawn o Annibynwyr a adawodd etifeddiaeth mor gyfoethog ar eu hôl. Nid ei fai ef oedd fod amgylchiadau masnachol anffafriol wedi codi yn y chwedegau a'r saithdegau a barodd fod rhai o'i freuddwydion wedi troi'n hunllef. Ni roddwyd i ni feidrolion y gallu i weld y tu hwnt i'r gorwelion yng ngwlad ddieithr y dyfodol dirgel. Ie, breuddwydiwr effro i ragolygon addawol oedd E. Curig Davies, ac ymdrechwr di-ildio wrth geisio eu sylweddoli.

Benser (Curig) yw'r pedwerydd o'r chwith, yn sefyll rhwng ei dad Dafydd Davies a'i fam Hannah. Y mae ei frawd Tommy (Tegryn) yn sefyll rhwng ei fodryb a'i dad. Yn y llun hefyd y mae ei chwiorydd, Frances a Mary Ann.

Curig Davies yn weinidog ieuanc.

Capel Sul, Cydweli.

Y Llyfrfa yn
Northampton Place,
Abertawe.

Y capel yn Heol Sant Helen a ddifrodwyd yn y bomio ar Abertawe, ac a addaswyd yn ddiweddarach yn ganolfan i Undeb yr Annibynwyr.

Codi Tŷ John Penry yn Abertawe.

Y capel sy'n ffurfio canolbwynt swyddfeydd yr Undeb yn Nhŷ John Penry, ac a ddefnyddir yn ogystal i'r pwyllgorau.

Tŷ John Penry pan agorwyd ef ym 1959

Cysodi'r *Caniedydd* yng Ngwasg John Penry, a Curig Davies yn cywiro proflenni.

Bu Curig Davies yn Ysgrifennydd y Cyngor Ysgolion Sul a'i Ysgol Haf am lawer blwyddyn. Darlun o aelodau un o'r Ysgolion Haf hynny yn y Coleg Diwinyddol, Aberystwyth.

Y mab Ednyfed a'i briod Amanda, a mamgu a tadcu gyda'u wyrion
Elinor a Rebecca, 1976.

Staff Tŷ John Penry a ffrindiau yn dilyn y ginio gafwyd i nodi ymddeoliad
yr Ysgrifennydd ym 1964, a'i anrhegu. Y mae ei ysgrifenyddes Miss Ray
Rees ar y dde i Curig, a nesaf at ei briod y mae Mrs. Maud Powell (Mrs.
Abiah Roderick wedi hynny) fu â gofal y Llyfrfa a'r Siop Lyfrau.

Gyda'i briod yn nyddiau eu hymddeoliad.

Mrs. Enid Curig Davies yn Nhŷ John Penry ar Medi 19, 1974, yn dadorchuddio darlun mewn olew o'i phriod, a beintiwyd gan y Parchg. Ieuan S. Jones.

E. Curig Davies

Atgofion

JOHN STUART ROBERTS

Bu Curig yn garedig iawn i mi ar adeg bwysig yn fy mywyd, sef y cyfnod rhwng 1957 a 1961. Ond nid hwnnw yw'r cof cyntaf sydd gennyf amdano.

Fe'm magwyd yn Sgeti, Abertawe, wedi fy ngeni yno yn 1939. Tua 1946 daeth hen weinidog a'i ferch i fyw drws nesaf; ei enw oedd E. Dee Evans. Fel Sacheus gynt, yr oedd yn fyr o gorffolaeth, tua phum troedfedd o daldra. Adwaenid ef gan bawb yn Undeb yr Annibynwyr fel 'Evans Bach, New York', a hynny oherwydd iddo wasanaethu'r Cymry yn Efrog Newydd cyn dychwelyd i Gymru i fod yn fugail ar eglwysi Antioch a Phenygroes yn Sir Benfro. Nid yfai de ond te dant-y-llew. Tyfai'r hen droseddwr hwnnw yn doreithiog yn ein gardd ni a hynny ymhell cyn i mam fynd yn hen! Ymysg y 'fyddin felen' hon y cyfarfûm gyntaf â Churig, a minnau tua naw mlwydd oed. Gydag ef yr oedd gweinidog arall, sef y Parchedig Bryn Davies, Bethel Newydd, Sgeti. Cofiaf yn eglur, pan siaradent â'i gilydd, nad oeddwn i yn eu deall. Pan ofynnais i mam pwy oedd y ddeuddyn gyda Mr. Evans dywedodd wrthyf mai 'Welsh Ministers' oeddent. 'Doedd hynny fawr o gymorth ond rwy'n sylweddoli'n awr fod Curig ymhlith y rhai cyntaf imi eu clywed yn siarad yr iaith sydd imi erbyn hyn yr orau ohonynt i gyd.

Ym 1949, oherwydd prinder lle, bu rhaid i ddosbarth o blant Ysgol Gynradd Tŷ-coch ddefnyddio festri Bethel Newydd, Sgeti. Yma o bryd i'w gilydd byddwn yn gweld Curig yn ymlwybro tua'r capel ynghyd ag eraill. Byddai hyn yn golygu distawrwydd mawr yn y dosbarth oherwydd 'something was happening in the chapel' chwedl yr athro, Mr. Jenkins.

Rwy'n cofio Mr. Jenkins yn cyhoeddi un diwrnod y byddai gŵr yn dod atom i ddweud hanes am rywun o'r enw Griffith John, brodor o Abertawe a fu'n genhadwr yn Sieina. Er mawr syndod imi, y dyn a gerddodd i mewn i'r dosbarth oedd Curig. Ni allaf gofio ansawdd ei lais ond fe'm daliwyd gan y stori gyffrous ac anturus a adroddid ganddo ac am y modd yr arweinwyd ni i'r fynwent at fedd y Cenhadwr ei hun. Dywedais wrth mam fod y dyn fu'n casglu dant-y-llew yn ein gardd ni wedi bod yn yr ysgol yn adrodd hanes Griffith John.

Cyflwynais y newyddion gydag eiddgarwch mawr ond gwrandawai mam fel un oedd yn gyfarwydd â'r stori. Dywedodd wrthyf mai gor-or-ewythr iddi oedd Griffith John a bod llythyrau a sgrifennwyd ganddo mewn cist yn y llofft. Rhoddwyd rhain i Curig ychydig wedi hynny. Pan welwn Curig o bryd i'w gilydd yn yr Uplands neu drws nesaf teimlwn rywbeth cyfriniol iawn amdano gan iddo godi cwr y llen megis ar fyd newydd a dieithr i mi, sef byd crefydd ac arwyr y Ffydd.

Ym 1957 deuthum yn Gristion trwy weinidogaeth y Parchedig D. Samuel Jones, Hen Fethel, Sgeti, (yr achos Saesneg), ac ychydig wedyn penderfynais fy nghyflwyno fy hun i'r Weinidogaeth. Bu tipyn o drafod ynghylch pa goleg diwinyddol y dylaswn fynd iddo. Gyda diolchgarwch mawr rwy'n cofio'r Parchedigion Ben Davies, Llandeilo gynt, Bryn Davies a Curig yn cymryd diddordeb mawr ynof a rhoi cyngor a chyfarwyddyd amhrisiadwy. Roedd y ddau gyntaf o'r farn y dylwn fynd i Aberhonddu gan fod y rhan fwyaf o'r myfyrwyr yno yn Saeson neu, fel myfi yn Gymry di-Gymraeg. Ond Curig awgrymodd Goleg y 'Presby', Caerfyrddin, gan na welai ef anhawster gyda'r iaith eithr cyfle i'w dysgu hi. Wrth gwrs bu Curig yn fyfyriwr yn yr 'Hoff Ddysgedig Nyth' a diau mai ymlyniad wrth y 'Presby' fu'n dylanwadu ar ei gyngor. Boed hynny fel y bo, byddai fy ngyrfa wedi bod yn wahanol iawn pe bawn i wedi mynd i goleg arall. Difesur yw fy niolch!

Wynebwn argyfwng arall, sef sut i'm cynnal fy hun am dair blynedd! Gwrthododd Cyngor Abertawe unrhyw gymorthdal i mi. Daeth Curig i'r adwy trwy gynnig gwaith rhan amser yn Nhŷ John Penry. Ni wyddwn, pan estynnwyd y caredigrwydd hwn i mi, y byddai Curig a minnau yn treulio oriau benbwygilydd yn cyfnewid syniadau a thrafod y pethau a berthyn i'r Deyrnas. Ffrwyth y tair blynedd y bûm yn y siop ar benwythnosau oedd dysgu gan Curig am ein cenedl a'i phobl a pheth o'n hanes crefyddol a diwylliannol.

Wrth edrych dros ysgwydd y blynyddoedd a chywain atgofion am Curig gwelaf ddarlun ohono fel un oedd yn nodweddiadol o'i oes, fel nifer o'i gyfoeswyr yn y Weinidogaeth, yn enwedig mewn rhai daliadau diwinyddol. Ni chredai yn athrawiaeth yr Iawn fel y'i dehonglir hi gan Galfin neu Gyffes Ffydd Westminster. Nid y cwymp a barodd i Iesu ddod atom ond cariad yn mynnu mynegi ei hun a dangos ffordd dra rhagorol. Byddai'r Ymgnawdoliad wedi digwydd pe na bai dyn wedi syrthio.

Nid dim rhinweddau ynom ni
Na dim a wnaed ar Galfari
Fu'n achos iddo garu dyn,
Fe'i carodd er ei fwyn ei hun.

Gwelai Iesu yn ddatguddiad, neu efallai, yn ymgorfforiad o'r dwyfol a'r dynol ar eu gwedd uchaf bosib. Geilw yr Efengyl arnom i ymberffeithio yn ôl esiampl Iesu a gwireddu yn ein bywyd personol a chymdeithasol yr undod neu'r gynghanedd sydd wrth wraidd y cread i gyd.

Roedd dau ddylanwad arno. Y cyntaf oedd y Parchedig David Adams a'r llall oedd R.J. Campbell a'i Ddiwinyddiaeth Newydd, y naill yn pwysleisio mewnfodaeth Duw a'r llall gyfiawnder cymdeithasol. Rwy'n cofio merch David Adams yn dod gyda Curig i'r 'Presby' i gyflwyno i ni'r myfyrwyr argraffiad newydd o gofiant E. Keri Evans i'w thad. Cefais lawer sgwrs am y diwinydd hwn gyda Curig gan i Adams ddod o'r un ardal yn Sir Benfro â Curig ei hun. Gwn fod tri digwyddiad wedi dylanwadu'n fawr ar fywyd Curig. Y cyntaf o'r rhain oedd Diwygiad 1904.

Er i ddylanwad a chyffro 1904/5 ledu'n gyflym drwy Gymru, ychydig iawn fu effaith y Diwygiad ar ardaloedd godre'r Preselau fel Glandŵr a Llandysilio, yn enwedig felly yn yr eglwysi Annibynnol. 'Rwy'n cofio Curig yn dweud fod sŵn yr adfywiad yn fwy na'i ddylanwad. I'r graddau y daeth gwrthgilwyr yn eu hôl, dylid canmol gwaith Evan Roberts yn enwedig yn yr ardaloedd diwydiannol. Ond yr oedd gormod o ganmol a rhy ychydig o esbonio yn nodweddu'r diwygiad. Yn hyn mae profiad Curig yn adlewyrchu tystiolaeth R.J. Jones yn ei hunangofiant *Maes Maelor* 'Fy ngadael i'n oer wnaeth y diwygiad cyhyd ag y parhaodd'.

Pan dorrodd y Diwygiad ar Gymru ddechrau'r ganrif rhaid cofio fod afon cred eisoes wedi'i rhannu'n ddwy ffrwd, y naill yn Uniongrededd a'r llall yn Rhyddfrydiaeth. Roedd y Ffydd Galfinaidd wedi colli ei gafael ar lawer a chredoau eraill wedi dod i rym. Am hanner canrif bu'r Beibl dan ordd Gwyddoniaeth a'r Uwch Feirniadaeth. Wrth ddarllen ei anerchiad o Gadair yr Undeb, Caerfyrddin 1965, cawn gipolwg ar effaith y newidiadau pan ymunodd Curig â Choleg y 'Presby' yn 1911:

Dyddiau cynnwrf y dadleuon diwinyddol, cyfnod helyntus y Ddiwinyddiaeth newydd. Cofio rhai myfyrwyr y Coleg yn newid enwad. Ceidwaid y Ffydd yn yr eglwysi'n gwylio'r myfyrwyr a chlustfeinio am arwyddion o anuniongrededd yn y pregethu'.

Mae'n anodd credu fod hinsawdd grefyddol o'r math hwn wedi bodoli yng Nghymru yn yr ugeinfed ganrif. Ond roedd atgofion yn fyw yng nghof Curig. Diau mai oherwydd hyn yr oedd yn hallt ei feirniadaeth o'r Dr. Martyn Lloyd-Jones. Tra'n edmygu'i ddawn gyhoeddus, gresynai Curig fod mudiad wedi codi yn sgîl dylanwad Martyn Lloyd-Jones a oedd yn creu gagendor rhwng brodyr a'i gilydd. Gan fy mod yn arddel athrawiaethau Calfin (i'r graddau yr oeddwn yn eu deall nhw!), ac yn uniaethu fy hun â'r Mudiad Efengylaidd, cefais gyngor ganddo i ochel rhag cyfyngu ar Ysbryd Duw sy'n torri trwodd yn ddirybudd gyda goleuni newydd.

Yr ail ddigwyddiad oedd Rhyfel Mawr 1914-1918. Ni fuom yn siarad rhyw lawer am hyn ag eithrio un achlysur pan gefais afael ar gyfrol o farddoniaeth Siegfried Sassoon. Cyfrol ail-law oedd hi a ddaeth i'r Llyfrfa ynghyd â phentwr o lyfrau eraill yng ngefn car Curig. Fe ŵyr y cyfarwydd am ddawn Curig i glirio llyfrgell brawd ymadawedig!

Os iawn y cofiaf, dyna'r pryd y clywais gyntaf am y Prifathro Thomas Rees, a helyntion blin Coleg Bala-Bangor. Roedd Curig yn heddychwr. Ond nid oedd hinsawdd gwrthryfel yn y 'Presby' mor ddwys â'r un ym Mangor. Fel cymeriad allan o nofel gan Dostoievsky fodd bynnag daeth y Rhyfel Mawr a chymhlethdod arall i gynhyrfu meddwl a chred Curig. I'r sawl a oedd yn arddel cred mewn cynnydd anorfod ym moesoldeb a gwybodaeth dyn, hynny yw, sail y ddiwinyddiaeth ryddfrydol, roedd galanas fel y Rhyfel Mawr yn brofiad ysgytwol. Ychwanegwyd at y boen gan elfennau personol fel colli cyfeillion a chydnabod, a sylweddoli nad oedd yr eglwysi yn ddi-fai ychwaith. Ys dywed S.B. Jones yn ei ragair i *Cerddi Eirug:*

'. . . roedd corwynt y Rhyfel Mawr yn darostwng gwareiddiad y byd a Christnogaeth yr Eglwys. Ofnai (Eirug) mai barn Duw fydd cael ein sgubo o'r neilltu am ein hanffyddlondeb a'n hymgiprys am ddiogelwch a llwyddiant bydol, fel eglwysi, yn hytrach na phroffwydo dros Grist.'

Ceir cyfeiriad dwys iawn yn anerchiad Caerfyrddin 1965 at y cyfnod dirdynnol hwn ac fe amlygir dynoldeb Curig yn ei gydymdeimlad dros y rhai a aeth i'r fyddin a'r rhai a aeth i garchar.

Daeth yn amser i adael y Coleg, a'r Rhyfel Mawr o hyd yn ei anterth a nifer o'r bechgyn yn Ffrainc a'r Dwyrain; John Jones, y mwyaf un a'r dewraf o bawb yn Wormwood Scrubs, wedi bod drwy driniaeth arw a'i wisgo'n orfodol mewn dillad milwr a'i wawdio am ei deyrngarwch i'r ffydd a oedd ynddo. At hyn yr wyf am ddod. Anerchiad y Dr. George Dawes Hicks o Rydychen i ni ar y testun, *'Atonement for the Unpardonable*

Sin'. Yr ydych chwi, meddai, 'ar fynd allan i fyd sy'n euog o bechod anfaddeuol. Mae'r rhai sy'n gyfrifol am y galanastra mawr wedi pechu yn erbyn y goleuni. Y mae rhyw rai'n fwy cyfrifol na'i gilydd ond pwy sy'n ddi-euog?'

Y sawl a fyn ddeall profiad ysbrydol Curig darllened yr uchod.

> I'm back again from hell
> With loathsome thoughts to sell;
> Secrets of death to tell;
> And horrors from the abyss.
>
> But a curse is on my head,
> That shall not be unsaid,
> And the wounds of my heart are red,
> For I have watched them die.
>
> (Siegfried Sassoon)
> *To the Warmongers*

Cefais yr argraff, ac mae'n dal yn gryf gennyf, fod Curig yn ddrwgdybus o unrhyw 'ideoleg', unrhyw ateb terfynol, sef anelu at sicrwydd yn hytrach na chychwyn gyda phendantrwydd. Ac mae hyn yn ein harwain at y trydydd dylanwad ar fywyd Curig, dylanwad athrawon y 'Presby,' yn enwedig yr Athro J. Oliver Stephens. Yn anffodus i mi, bu farw'r gŵr amryddawn hwn ychydig cyn i mi ymuno â'r Coleg. Mae'n amlwg mai dilyn y goleuni i ba le bynnag yr âi oedd sylfaen a chymhelliad pererindod Oliver Stephens a Curig.

> 'Hwyrach i mi adael y Coleg yn llai o Drindodwr ond heb fod yn fwy o Undodwr eithr wedi cael syniad mwy cyfoethog am Dduw . . . a chefais gyfarwyddyd i beidio â chweryla â neb am ei syniadau am bethau sydd tu hwnt i ddeall dyn'.

Ar wahân i'r lledneisrwydd hyfryd sy'n cyniwair trwy'r dyfyniad hwn mae yma hefyd gyffes pererin ar ei hynt. Rhag imi roi camargraff, prysuraf i ychwanegu fod elfennau pendant yn ei gyffes ffydd. Credai'n gryf mewn Rhagluniaeth. Credai fod i fywyd bwrpas ac fe ymdeimlai'n ddwys â'r dirgelwch a'r gynghanedd sydd wrth wraidd y Cread. Gwrthwynebai bopeth oedd yn bygwth neu'n amharu ar yr undod hwnnw. Ymdrechai lle'r oedd darnio i wnïo'n ôl i gyfanrwydd, boed mewn perthynas bersonol, perthynas rhwng yr enwadau neu mewn materion cymdeithasol. Byddai'n dyfynnu llawer o'r Beibl ac un o'i hoff adnodau oedd Effesiaid, Pennod 4, adnod 32 'Byddwch garedig i'ch gilydd yn dosturiol, yn maddau i'ch gilydd fel y maddeuodd Duw yng Nghrist i chwi.' Ai drwy'r gyffes hon y ceisiodd ddileu y pechod anfaddeuol y soniodd Dr. George Hicks amdano? Ni wn.

Y tro diwethaf imi fod yn ei gwmni oedd yng Nghaerfyrddin yn 1965 ar y ffordd i'r Cyfarfod Diwinyddol. Gyda ni yr oedd y Parchg. Tom Thomas a lywyddai'r cyfarfod a'm tad-yng-nghyfraith, y Parchg. D.T. Gravelle, a fu'n aelod gyda Curig yng Nghapel Sul, Cydweli. Cynhaliwyd y cyfarfod yn Heol Undeb, hen ofalaeth yr Athro Oliver Stephens. Testun y cyfarfod oedd 'Argyfwng Gwacter Ystyr' a'r Athro J.R. Jones a'r Prifathro Tudur Jones yn agor y mater. Roedd yn ddadl newydd i'm cyfoeswyr ond i Curig a'i genhedlaeth roedd hi'n ddadl gyfarwydd yn ymestyn yn ôl i'w llencyndod. *'In the end is my beginning'*. (T.S. Eliot). Er na welais Curig wedi Undeb Caerfyrddin derbyniais un gymwynas arall ganddo. Yn 1971 cyfarfûm â'i fab Ednyfed. Er nad yw cystal â'i dad, fel y byddaf yn ei atgoffa yn aml, mae ei gyfeillgarwch wedi cyfoethogi fy mywyd ac rwy'n meddwl y byd ohono.

Fel llawer un arall mae gennyf lyfrau a gyhoeddwyd ac a argraffwyd gan Wasg Tŷ John Penry. Yn yr rhagair yn aml mae brawddeg sy'n dweud, 'A diolch i'r Parchedig E. Curig Davies am weld y llyfr hwn drwy'r Wasg.' Carwn ddiolch i Curig am fy ngweld innau trwy'r Wasg ac am yr argraff ddofn a adawyd.

Y Parchg. E. Curig Davies

ELFRYN THOMAS
(Goruchwyliwr Gwasg John Penry)

Fe gyfarfûm â'r Parchg. E. Curig Davies am y tro cyntaf ar fore Sadwrn, Tachwedd 15, 1961, yn Nhŷ John Penry, Abertawe. Yno yr oeddwn yn fachgen ifanc, nerfus, un ar hugain oed yn cael cyfweliad am y swydd o *trainee* cysodwr ar y peiriant *Linotype.*

Yn naturiol roeddwn wedi clywed am y Parchg. Curig Davies cyn hyn. Fe fuom fel eglwys—Moreia Tycroes,—dan arweiniad y gweinidog, y Parchg. D.T. Lewis, yn frwdfrydig yn casglu tuag at yr apêl ariannol i sefydlu Tŷ a Gwasg John Penry, ac roedd fy mam-gu, o ochr fy nhad, yn brysur yn prynu'r stampiau a werthwyd gan Tŷ John Penry gogyfer â phwrcasu pedwar copi sol-ffa o'r *Caniedydd* newydd.

Fe wnes fy rhan gyntaf o'm prentisiaeth yn yr *Amman Valley Chronicle* yn Rhydaman. Perchennog y cwmni hwnnw oedd Mr. D.J. Lewis. Roedd yn ddyn diwylliedig, yn rhugl yn y Gymraeg a'r Saesneg ac yn ffanatig ar atalnodi. Ond yn fwy na dim, yn weithiwr caled dros ben. Gweithiai o fore tan nos ac fe fyddai bob amser yn pwysleisio arnom ni fel prentisiaid nad oedd gwaith wedi lladd neb. A dyna yn union yr argraff a gefais innau o'r Parchg. Curig Davies, ar ôl ychydig wythnosau yng Ngwasg John Penry. Roedd yntau yn weithiwr caled a diflino ac er nad oedd yn gallu gwneud llawer yn y Wasg cymerai ddiddordeb mawr ac roedd i fewn ac allan yn gyson i weld sut yr oedd pethau yn mynd yn eu blaen. Nid oedd ofn torchi llewys arno a rwy'n ei weld yn awr ar ei benliniau ar y llawr gyda gweithwyr y contract llyfrau yn dadbacio'r llyfrau gogyfer â'u hanfon i'r gwahanol ysgolion ym Mwrdeistref Abertawe a Morgannwg. Gymaint oedd ei ddiddordeb yn y dosbarthu ac mewn sicrhau bod yr ysgolion yn cael eu llyfrau mewn pryd fel y cymerai hwy yn ei gar ei hun, gymaint felly nes bod yr hen *Riley* druan yn ei chael yn anodd i symud o dan y fath bwysau!

Disgwyliai i bawb arall wneud diwrnod da o waith fel y gwnâi ef ei hun. Nid oedd ganddo amser i ddiogyn ac fe fyddai gweld rhywun yn osgoi gwaith yn ei wylltio yn fawr.

Sylweddolais yn gynnar ar ôl dechrau yn y Wasg fod yna botentsial mawr iddi. Dan arweinyddiaeth y Parchg. Curig Davies pwrcaswyd rhai o beiriannau gorau y cyfnod hwnnw – cyfnod euraidd y proses *letterpress*. Cyfrifwyd y *Monotype* fel y *Rolls Royce* yn y byd cysodi teip ac fe fyddai honno yn cynhyrchu gwaith ardderchog o ddydd i ddydd fel y gwelir yn *Y Caniedydd*. Roedd yno hefyd y peiriant cysodi *Linotype 78*, y diweddaraf ym myd y *slug casting machines*. Peiriant delfrydol i gynhyrchu papurau wythnosol a chylchgronau.

Fe ddangosodd y Parchg. Curig Davies ei allu ym myd busnes pan bwrcasodd y *Miehle* gogyfer ag argraffu'r *Caniedydd*. Clywodd fod yna ail-drefnu i fod yng nghanol tref Abertawe ac fel canlyniad y byddai un o gwmnïau argraffu mwyaf Abertawe, y *Swansea Printers*, yn cau. Prynodd y peiriant arbennig hwn oddi wrthynt am bris rhesymol dros ben ac fe roddodd y peiriant flynyddoedd o wasanaeth didrafferth i Wasg John Penry.

Roedd y Parchg. Curig Davies a'i glust yn go agos i'r ddaear. Roedd yn adnabod ac yn deall pobl. Sylweddolodd fod y saint yn gallu bod yn enwadol dros ben. Yr adeg honno, tua 1962, roedd yn olygydd *Tywysydd y Plant*, y cylchgrawn arbennig hwnnw i blant. Er mwyn arbed costau fe wahoddodd y Bedyddwyr a'r Wesleaid i argraffu eu cylchgronau plant hwy, *Y Seren Fach* a'r *Winllan*, yn y Wasg. Er mai yr un deunydd oedd yn y tri fe gariwyd ymlaen gyda'r teitlau gwreiddiol a thrwy hynny arbed tipyn o arian ar gynhyrchu ac ar yr un pryd roedd yn plesio bawb. Rydym yr un mor enwadol heddiw ag erioed, ac efallai mai cam ffôl oedd gwneud i ffwrdd â'r hen deitlau pan sefydlwyd *Antur* ac yn ddiweddarach *Cristion*.

Ac wrth sôn am *Tywysydd y Plant* mae gen i lawer yn bersonol i ddiolch i'r cylchgrawn hwnnw ac i'r Parchg. Curig Davies. Drwy ei gysodi o fis i fis fe ehangodd fy ngwybodaeth Feiblaidd yn fawr iawn. Bu hefyd yn gyfrwng i mi wella fy Nghymraeg. Yn y dosbarth Cymraeg yn Ysgol Ramadeg Dyffryn Aman roeddwn wrth draed y Gamaliel hwnnw, Mr. H. Meurig Evans, ond er hynny bratiog iawn oedd fy iaith pan adewais yr ysgol. Rydwyf yn ddiolchgar am yr hyn sydd gennyf erbyn heddiw i bobl ddiwylliedig eu hiaith fel y Parchgn. E. Curig Davies, E. Lewis Evans, D. Eirwyn Morgan a Iorwerth Jones. Roedd cysodi eu hysgrifau o wythnos i wythnos ac o fis i fis yn gadael ei farc.

Un peth sydd yn torri calon pob cysodwr yw llawysgrif wael ac roedd llawysgrif y Parchg. Curig Davies yn anobeithiol! Fe'i cyfrifwn, gyda llawysgrifau'r Prifathro D. Eirwyn Morgan a'r Parchg. Wilfred H. Price fel y rhai mwyaf anodd i'w dehongli.

Y Parchg. Curig Davies a ddechreuodd yr Adran Gyhoeddi yn Nhŷ John Penry. Daw llyfrau fel *Beibl y Plant, Y Llyfr Gwasanaeth* a *Blas Virginia* i'r cof ar unwaith. Hyd yn oed y pryd hwnnw fe ddangosodd weledigaeth fawr trwy gyhoeddi llyfr yn yr iaith Gymraeg ar ymarfer corff, a hynny cyn dyfodiad ysgolion dwyieithog fel sydd gyda ni heddiw. Fe ehangwyd yr adran gyhoeddi yn fawr iawn gan ei olynydd, y Parchg. Trebor Lloyd Evans.

Fe aeth y Parchg. Curig Davies i lawer cyfeiriad i sicrhau gwaith i Wasg John Penry. Trwy ei arweiniad ef y sicrhawyd y contract blynyddol o argraffu yr *Electoral Roll* i'r hen Sir Gaerfyrddin. Cafwyd ar ei berswâd dipyn o waith o gyfeiriad yr Eisteddfod Genedlaethol ac fe ddylanwadodd ar y *Gower Society,* a oedd yn cyhoeddi llawer yr adeg honno, i ddefnyddio Gwasg John Penry. Roedd hyn i gyd yn ychwanegol i'r gwaith a sicrhaodd trwy argraffu'r *Seren Fach, Y Winllan* a dyddiadur blynyddol y Wesleaid.

Siom fawr iddo oedd diffyg cefnogaeth rhai o eglwysi mwya'r enwad yn y cylchoedd cyfagos a byddai yn achwyn ei gŵyn yn aml i'r cyfeiriad hwn. Ac y mae hyn, gwaetha'r modd, yr un mor wir heddiw.

Heb os, roedd y Parchg. Curig Davies yn ddyn mawr gyda gweledigaeth eang. Iddo ef ac i'w olynydd, y Parchg. Trebor Lloyd Evans, y mae'r diolch am fodolaeth y wasg. Mae un peth yn sicr, ni fyddai Curig Davies wedi caniatáu cau ein siop lyfrau – *'over my dead body'* fyddai hi wedi bod.

Y Cymwynaswr

E. GLYNDWR WALKER
(Caplan i Ysbytai Cylch Caerfyrddin)

Roeddwn yn gwybod amdano ers dyddiau plentyndod yn Sardis, Trimsaran ac yntau wedi bod yn weinidog Capel Sul, Cydweli (mam Eglwys Sardis 1774). Roedd fy rhieni wedi cael Annibynwyr selog yn gymdogion iddynt a hwythau'n sôn am gyfnod hapus Curig Davies yng Nghydweli.

Deuthum i'w adnabod yn well yng Nghyfarfodydd Chwarter Annibynwyr Gorllewin Morgannwg rhwng 1959 a 1962. Roedd ar y blaen yn ei arweinyddiaeth gadarn a digymrodedd. Ond adnabyddiaeth o bell oedd yr adnabyddiaeth hon. Roeddwn yn ifanc a dibrofiad, yntau'n hirben aeddfed a roedd peth o'i ofn arnaf.

Yna daeth haf 1962. Ymddiswyddais o'm cyfrifoldeb fel gweinidog Iesu Grist yn eglwys y Wern, Ystalyfera. (Ni chaniatâi fy nghydwybod imi barhau yn y weinidogaeth gonfensiynol fel y gwelwn hi ac y'i deallwn hi bryd hynny). Nid oeddwn wedi trefnu dim ymlaen llaw. Nid oedd gennyf na swydd nac unrhyw waith yn y byd, na chartref sefydlog i fynd iddo. Nid oedd gweinidog yn y cyfnod hwnnw yn gymwys i dderbyn *dole* nac unrhyw gynhaliaeth oddi wrth y wladwriaeth. Nid oedd gennyf ddim. Dim ond gwraig ifanc a phlentyn sugno, yn llythrennol felly.

Rhoddwyd benthyg tŷ inni ar rent gan Annibynwyr Abercrâf, ac aeth Mair ac Elin a minnau yno ym Medi 1962 — cartref newydd dros dro yn Sir Frycheiniog. Mae'n debyg fod y Parchedig (Athro wedi hynny) Alwyn Charles a Mr. Caleb Rees, Arloygwr ei Fawrhydi yn pryderu llawer amdanom. Cafodd Curig yr hanes ganddynt ac yn sydyn un noson dyma gloch drws y ffrynt yn canu a Churig a'i briod wedi dod i roi tro amdanom yn Mhen-rhos. Gwyddwn ym mêr fy esgyrn nad oedd Curig yn credu mewn llaesu dwylo na 'gadael y weinidogaeth'. Roeddwn yn arswydo rhag yr hyn a oedd ganddo i'w ddweud. Daeth i mewn i'r tŷ ac i olau'r ystafell. Rhyfeddai atom a ninnau atynt hwy. Gwyddem ar unwaith ein bod yn nwylo gŵr a gwraig anghyffredin. Mynegodd ei bryder amdanom ac am sefyllfa anodd Tŷ John Penry. Carai gyflogi gweithiwr ychwanegol ond nid oedd ganddo ddigon o gyllid i fod yn agos at anrhydeddus — ond roedd tamaid i aros pryd yn well na dim. Cytunais i fynd i weithio yno am £6 yr wythnos; fe gadwai hynny'r blaidd o'r drws am ychydig, ac felly y bu. Toc wedi'r cytundeb daeth *Contract* Addysg Sir Forgannwg i Dŷ John Penry (i'r Llyfrfa), codwyd fy nghyflog a chefais well telerau gwaith.

Pan euthum i Dŷ John Penry roedd fy nghalon yn fy ngwddf. Os oedd ofn troseddu Duw arnaf yn y Wern, roedd mwy o ofn troseddu Meistr y Fenter (Curig) yn Nhŷ John Penry. Prin ddiwrnod yn unig y parhaodd pethau felly. Fe'm cefais fy hun yn gweithio ysgwydd wrth ysgwydd â chawr o ddyn ymhob ystyr. Gweithiai wrth unrhyw orchwyl fel pawb arall yn ôl y galw. Nid oedd asgwrn diog yn perthyn iddo, a roedd ei allu i drin a thrafod pobl yn ddiarhebol. Gallai hawlio'r gorau allan o'i weithwyr a dweud y drefn yn hallt wrthynt heb achosi dicter parhaol. Roedd yn dweud ei farn heb flewyn ar dafod ac ni fu erioed yn dderbyniwr wyneb. Roedd amodau gwaith yn Nhŷ John Penry yn ei gyfnod ef fel amodau'r nefoedd. Roedd fel tad a brawd mawr i bawb o'i staff. Roedd ei gariad at Grist yn amlwg yn ei ymwneud â ni i gyd. Roedd Cwrdd Gweddi i'r staff a throstynt yn bwysig iddo. Gŵr anghyffredin o fawr oedd Curig. Roedd ei ddiddordebau yn eang; roedd yn gyfuniad diddorol o'r ymarferol a'r breuddwydiwr.

Gallai drin a thrafod gardd fel arbenigwr, rhwymo llyfr yn gelfydd a chywrain. Darllenai yn eang a hynny i sawl cyfeiriad. Roedd ei sgyrsiau bob amser yn ddiddorol a gafaelgar. Roedd ganddo bersonoliaeth fawr ac atyniadol.

I mi, gŵr bonheddig Duw oedd Curig, un tirion, cwrtais a chadarn iawn na welais mohono yn llipa na di-asgwrn-cefn erioed. Gallai ddweud y drefn ac anghydweld heb ddal dig at ei wrthwynebwyr.

Cyfathrebai â phobl ifanc yn hynod o naturiol a hwythau yn ymateb iddo yntau yn yr un modd. Cofiaf iddo ddweud un tro – ag yntau wedi bod yn trafod cyfraniad y Prifathro Thomas Rees, Bangor, R.J. Campbell a Robinson *(Honest to God)* gymaint oedd ei edmygedd o Rosina Davies, yr efengyles. Arferai hi ddod ato i'r cyrddau yng Nghydweli a'r cylch. 'Roedd Rosina Davies yn credu'n llythrennol mewn Rhagluniaeth,' meddai, 'a roedd ei ffydd ymarferol yn codi arswyd ar ddyn. Dyna drueni na fuase' Duw yn cyffwrdd â chalon Marianne Faithful neu un o'r ''Beatles'' y dyddie rhain, fel nâth E gynt â Rosina,' meddai Curig. 'Mi fydde tystiolaeth o'r fath yn newid Cymru.'

A oedd ganddo ffaeleddau? Nid oedd yn·gallu dioddef ffyliaid yn llawen, er iddo fod yn hirymarhous tuag atynt ar lawer adeg.

Roedd ganddo weledigaeth eglur a phendant ar gyfer Tŷ John Penry ac Annibynwyr ac ysai am gael mynd â'r maen i'r wal.

*   *   *

Tra yn Nhŷ John Penry gwahoddwyd fi gan Bwyllgor Addysg Brycheiniog i gymryd gofal adddysg grefyddol dros dro yn Ysgol Maesydderwen yn Ystradgynlais. Roedd angen trafod y mater gyda Churig. Nid oeddwn am ei adael i lawr na mynd heb ei fendith. Roedd yn gwybod am y cynnig eisoes (efallai taw ef ei hun oedd tu ôl i'r cynnig — ni wn ac ni chefais erioed wybod) ond cynigiodd fy hebrwng yno yn ei 'Riley' annwyl a hen! Gwyddwn nad oedd yn fodlon i weinidogion fod yn athrawon ysgol.

Cadwodd mewn cysylltiad agos iawn iawn â mi a'm teulu hyd ei farw. Gofynnodd i mi ddysgu gwaith Crwys 'Esgyrn Dewi Sant' i blant y flwyddyn gyntaf yn yr Ysgol Ramadeg.

> Pe gwyddem fod esgyrn Dewi Sant
> Yng ngrodir Glyn Rhosyn mewn diddos bant,
> Awn yno i chwilio a chwilio drachefn,
> I gael gafael mewn dim ond ei asgwrn cefn.
>
> Ac yna fe'i rhannwn yn rhwydd a diball,
> Cymal i hwn a chymal i'r lall,
> I bob tad a mam asgwrn cefn yr hen Sant,
> Ac ysbryd hen Dewi a rown yn y plant.

Roedd cariad Crist yn amlwg ymhob cymhelliad o eiddo Curig Davies a dyma oedd ei gryfder diamheuol. Dyledwr mawr oeddwn i iddo.

Gweinidog a Gweledydd

GLYN RICHARDS

Am yn agos i bymtheg mlynedd buom yn byw drws nesaf i Curig yn Abertawe. Digon o amser meddech chi i ddod i adnabod un o gymeriadau mwyaf cyfoethog Undeb yr Annibynwyr ac un o Gymry mwyaf adnabyddus ei ddydd. Ond y gwir amdani yw bod Curig yn amlochrog; roedd cymaint o agweddau ar ei gymeriad, a'i bersonoliaeth mor gyfoethog, fel nad oedd mor hawdd â hynny ei amgyffred yn llwyr. Roedd yn ŵr talentog dros ben a lwyddodd, yn fwriadol neu'n anfwriadol, i guddio cyfoeth ei bersonoliaeth oddi wrth y rhai na fynnai dreulio amser i'w adnabod.

Mae'r atgofion sydd gennyf amdano yn ddi-rif. Cofiaf amdano yn gymydog da yn ystod blynyddoedd cynnar fy ngweinidogaeth yn Ebeneser, Abertawe. Bu'n galw heibio i ni ddwy neu dair gwaith yr wythnos i holi am y plant (a fedyddiwyd ganddo yn eu tro); i sgwrsio am bethau'r Undeb, (ys dywed rhywun amdano 'roedd o hyd 'yng nghanol ei bethau'); i siarad am bregethwyr a phregethau a symudiadau gweinidogion. Y weinidogaeth, pregethu a'r Undeb oedd ymhlith prif ddiddordebau ei fywyd, ond nid oeddynt o bell ffordd yn bwysicach iddo na'i deulu. Roedd yn meddwl y byd o Enid ac Ednyfed ac yn hynod o falch i sôn am lwyddiant Ednyfed yn y byd academaidd neu'r byd gwleidyddol. Wrth gwrs, fel y gwyddai aelodau'r Undeb trwy brofiad, roedd dawn anghyffredin ganddo i ddechrau brawddegau a'u gadael heb eu gorffen. Trwy drugaredd, pan alwai heibio i ni, roedd Helga â chystal dawn i orffen ei frawddegau drosto, ac oherwydd hynny âi'r sgwrs yn ei blaen fel petai dim byd allan o le. Nosweithiau diddorol, hwylus a difyr oedd y rheini a hyfryd yw eu dwyn i gof.

Cofiaf amdano yn aelod ffyddlon a diacon doeth yn Ebeneser, Abertawe, ac wedi hynny yn weinidog ymroddedig yn Henrietta, Abertawe. Bu'r ddwy eglwys yn ffodus i gael ei arweiniad, ei gyfarwyddyd a'i ymroddiad llwyr drwy'r blynyddoedd. Aethom gyda'n gilydd lawer gwaith i gyfarfodydd yn Ebeneser. Cofiaf amdano un tro, wrth siarad fel arfer am bethau'r Undeb, yn gyrru ei gar yn araf iawn, iawn ar hyd Walter Road y tu ôl i fflôt laeth tra bod moduron eraill yn hedfan heibio i ni. Roedd wedi ymgolli gymaint ym mhynciau llosg yr Undeb fel nad oedd y sefyllfa yn effeithio arno o gwbl. Rhywbeth yn debyg oedd hi pan drafaeliodd yr holl ffordd o Aberystwyth i Abertawe a'r car yn y trydydd gêr. Dro arall, wrth ddychwelyd o'r capel â llond car o gyfeillion fel arfer, digwyddodd gyrraedd adref, dim ond i sylweddoli ei fod wedi gadael Enid ar ôl! Roedd ei anghofrwydd yn ddiarhebol, a phriodol iawn felly oedd ei ddewis i gymryd rhan y siopwr anghofus yn y ddrama *Llygad y Geiniog* gyda bod Enid yn gofweinydd personol iddo wrth ochr y llwyfan. Prin bod angen dweud mai Curig enillodd y wobr am y perfformaid gorau yn y ddrama honno. Fe hefyd oedd ffefryn y plant, yn arbennig ein plant ni, a lwyddodd i gyfieithu ei enw rywfodd i'w alw yn 'Stones'. Dyna'u ffordd arbennig nhw o dalu teynged iddo am ei gymeriad rhadlon a hoffus a mae'n rhaid i mi gyfaddef na chafodd neb erioed fwy o groeso ganddynt i'r tŷ.

Bu Annibyniaeth yn hynod o ffodus i gael Ysgrifennydd mor ymroddedig yn ystod y blynydoedd cynnar hynny. Roedd ganddo weledigaeth eglur am y ffordd y dylai'r Undeb ddatblygu ond ni chafodd hi'n hawdd i argyhoeddi pob Annibynnwr yn ei gylch. Mae'n anodd credu er enghraifft nad oedd pawb o blaid symud canolfan yr Undeb o Northampton Place, oedd ar fin cael ei dynnu i lawr o dan y cynllun i ail-adeiladu Abertawe, i Heol Sant Helen. Nid oedd cytundeb chwaith ynglŷn â phrynu adfeilion y capel Annibynnol Saesneg i fod yn ganolfan yr enwad a chartref yn ddiweddarach i Dŷ John Penry. Prif bwrpas Curig wrth gynnig y cynllun oedd diogelu adnoddau'r enwad a chreu canolfan teilwng i weithrediadau'r Undeb, ond mynnai rhai amau doethineb y symudiad. Trwy drugaredd roedd pob gwrthwynebiad yn cryfhau bwriad Curig i fwrw ymlaen â'i gynllun, ac oni bai am ei ystyfnigrwydd ym marn rhai, neu ei ffydd yn ei weledigaeth yn ôl eraill, ni fyddai Tŷ John Penry yn ganolfan yr enwad heddiw. Mae'n glod iddo mewn gwirionedd fod canolfan mor dda gan yr enwad a bod y capel gwreiddiol wedi ei goffáu a'i ddiogelu yn yr adeilad ei hun. Heb amheuaeth gweledydd ydoedd, a dyna'i hanes hefyd ym Mangor a Chydweli yn ogystal ag yn Abertawe.

Arwydd arall o'i ddawn i weld pethau'n glir oedd ei gais i yswirio capeli'r enwad drwy'r Undeb fel bod yr elw yn dod i gronfeydd yr enwad. Gwelodd fanteision y cynllun ar unwaith ac aeth ati, yn ei ffordd ddihafal ei hun, i geisio argyhoeddi aelodau'r Undeb mewn cyfarfodydd ar hyd a lled y wlad mai peth da i Annibyniaeth fyddai canoli yswiriant capeli'r enwad yn Abertawe. Yn naturiol nid oedd cwmnïau yswiriant eraill yn bleidiol iawn i gynllun oedd yn mynd ag elw oddi wrthynt hwy a buont yn daer iawn yn perswadio'r eglwysi i beidio â newid. Profodd Curig fwy o wrthwynebiad i'w gynllun nag oedd yn haeddu mewn gwirionedd ac weithiau bu'n edifar ganddo gynnig y syniad i ystyriaeth yr enwad o gwbl. Ond yn y pen draw ei ffydd yn ei weledigaeth ei hun, ei ddiddordeb mawr yn yr enwad, a'i ofal am lwyddiant yr Undeb a enillodd y dydd. Efallai bod barn Ednyfed amdano yn berffaith gywir, sef y gallai ei dad fod wedi gwneud dyn busnes rhagorol iawn.

Ceisiodd gyflwyno ei weledigaeth o dro i dro trwy ei ysgrifennu. Roedd yn ŵr diwylliedig, a cheisiodd gyflwyno'i ddiwylliant trwy ei waith fel golygydd *Tywysydd y Plant* a thrwy ei erthyglau a'i lyfrau. Wrth law, wrth gwrs, roedd Gwasg John Penry, y gwnaeth gymaint i'w sefydlu. Mae'r enwad yn ddyledus iddo am lywio llawer o gyhoeddiadau drwy'r wasg o dro i dro gan gynnwys ymhlith eraill *Y Caniedydd* a'r *Llyfr Gwasanaeth*.

Cofion annwyl sydd gennyf am Curig – Gweinidog, Gweinyddwr, Gweledydd. Ond yn bennaf oll i mi yr oedd yn gyfaill da ac yn gymydog annwyl.

Curig Davies

W.T. OWEN

Gwn mai profiad cyffredin i lawer gweinidog, o dro i dro, ydyw gweinyddu, dan gryn deimlad, yn angladd hen ffrind. Dyna oedd fy hanes innau pan euthum i Southampton, ar ddechrau 1981, i angladd fy nghyfaill Curig Davies, a fu farw yno yng nghartref ei fab Ednyfed. Oherwydd pellter Southampton o Gymru a bod cwrdd coffa i Curig wedi ei drefnu yn Abertawe mor fuan ag y clywyd iddo gael ei alw adref, nid oeddem yn gwmni mawr yn yr arwyl, ond yr oeddem yn gytûn ein bod yn talu'n teyrnged olaf o barch ac o serch i un o ragorolion y ddaear. Pan oedd ef yn weinidog ar Eglwys Ebeneser, Bangor, a minnau'n fyfyriwr yng Ngholeg Bala-Bangor, y daethom i adnabod ein gilydd gyntaf. Hoffais ef y foment y cwrddais ag ef a chynyddu a wnaeth y teimlad hwnnw gyda threigl y blynyddoedd. Pe digwyddai rhywun ddweud wrthyf na hoffai Curig, byddai'n rhaid i mi ystyried ei anhoffter fel adlewyrchiad anffafriol arno ef ei hun. 'Llariaidd . . . fel lloer ddwys Gorffennaf' ac 'O'r annwyl yr anwylaf', ys dywed R. Williams Parry am un arall, un felly oedd Curig Davies hefyd. Arferwn fynychu Eglwys Ebeneser a threuliais yno lawer awr felys ac adeiladol yn ei gwmni ef a chyfeillion eraill. Ond croeso digymell gynnes ei aelwyd i fyfyriwr a erys yn y cof, a'i briod—boneddiges wrth natur, siriol a diwylliedig—lawn mor gyfrifol â Churig ei hun, am y croeso hwnnw. Cofiaf fod gydag ef un noson tan oriau mân y bore yn cofnodi canlyniadau etholiad cyffredinol ac er imi orfod talu dirwy o hanner coron i Goleg Bala-Bangor am fod allan ar ôl un ar ddeg o'r gloch, teimlwn, er cymaint o arian oedd hanner coron i fyfyriwr tlawd, mai myfi a gafodd y fargen!

Yn Abertawe, serch hynny, y blodeuodd ein cyfeillgarwch. Erbyn hyn roedd Curig yn Ysgrifennydd yr Enwad a minnau'n weinidog ar Eglwys Ebeneser Abertawe. Ar ben hyn, cefais y fraint ddwbl o fyw y drws nesaf iddo a'i gael ef a'r Parchedig Edward Jones, fy rhagflaenydd, yn ddiaconiaid yn fy eglwys, y ddau ohonynt yn gwneud eu gorau glas i gefnogi a chynorthwyo eu gweinidog ifanc. Deil fy nyled i'r ddau ohonynt yn anfesuradwy. Crybwyllais i mi fod dan deimlad dwfn yn angladd Curig yn Southampton; yr un oedd fy mhrofiad yn angladd Edward Jones—teimlo fy mod yn ffarwelio ag un a fu megis tad imi.

Er mai dim ond am ddwy flynedd a hanner y bu Curig a minnau yn gymdogion, cyfnod ydoedd o glosio'n fwy agos at ein gilydd bob dydd. Cyfnewidiem ein papurau dyddiol, sgwrsiem am bawb a phopeth, yn enwedig materion enwadol a oedd ar ei feddwl yn wastadol, gan mor gydwybodol ydoedd. Teithiem gyda'n gilydd i Gyngor ac Undeb a Phwyllgor Gweinyddol, myfi, yn aml iawn, yn gyrru'r car. Canlyniad hyn oll oedd imi ddod i'w adnabod yn dda ac i'm hedmygedd ohono gynyddu'n feunyddiol. Gwnaeth llawer un y camgymeriad mawr o feddwl, oherwydd ei lais tyner ac addfwynder ei bersonoliaeth, ei fod yn feddal a gwan. Y fath gamgymeriad! Yr oedd yn ddyn o weledigaeth glir. Ei wendid pennaf efallai ydoedd ei fod yn niwlog pan oedd yn ceisio rhoi mynegiant cyhoeddus i'r weledigaeth honno. Ond daliai'n hollol glir yn ei feddwl ef, a chyhyd ag yr oedd yn argyhoeddedig ei fod yn gwneud yr hyn oedd yn iawn ac yn fanteisiol i'w enwad, yr oedd yn graig o gadernid a dygnwch yn ei benderfyniad i gyflawni ei ddymuniad, a hynny'n aml yn wyneb gwrthwynebiad rhai llawer mwy swnllyd nag ef! I'w weledigaeth a'i benderfyniad tawel a digyffro ef y mae Enwad yr Annibynwyr yn ddyledus am ei ganolfan a'i wasg, i enwi dim ond deubeth o lu o'i gymwynasau.

O edrych yn ôl, erys y cyfnod byr a dreuliais yn Abertawe ymhlith cyfnodau hapusaf fy mywyd, a'r ffaith imi gael y fraint o fyw dan yr un to â Churig a'i deulu a gyfrif i raddau helaeth am hynny. Cawsom fynediad parod i awyrgylch eu haelwyd, awyrgylch heintus o hapus. Buont yn 'gymorth hawdd ei gael' bob amser i'r teulu bach ifanc drws nesa. Atynt y rhedem am gyngor a diddanwch ac arweiniad,ac fe'u rhoddwyd, yn ddieithriad, yn barod a dirwgnach. Rhanasom eu cyfrinachau a'u pryderon a'u hapusrwydd, llawer o'r olaf yn codi o lwyddiant Ednyfed eu mab mewn coleg ac ar lwyfan Eisteddfod Genedlaethol. Gwn i'w lwyddiant pellach ef ym myd y gyfraith ac mewn senedd fod yn destun balchder diymffrost i'r ddau ohonynt. Bu Ednyfed yn addurn i'w gartref gydol ei oes a'i ofal tyner o'i rieni, yn arbennig felly yn eu henaint, yn destun edmygedd cyffredinol. Teimlaf innau hi'n fraint o gael rhannu cyfeillgarwch Curig a'i briod, dau yn byrlymu o hiwmor iach ac yn ymgorfforiad o'r hyn y dylai llawenydd Cristionogol fod.

Atgofion am y Parchg. E. Curig Davies

NIA RHOSIER

'Curig' oedd ef i bawb y tu allan i'r teulu, a llawer, mae'n siŵr, yn dyfalu pa enw a ddynodwyd gan yr 'E'. Ond yr 'E' oedd enw'r teulu arno, ac eto, nid yw hynny'n hollol gywir chwaith, oherwydd ystyr yr 'E' oedd Ebenezer, ond i ni yn y teulu, 'Benser' ydoedd, ac i mi, 'Yncl Benser' bob amser. Perthyn iddo trwy ei briod, Enid, oeddwn i ar ochr fy nhad, a chofiaf yn dda am garedigrwydd y ddau i mi pan euthum i fyw i Abertawe yn y chwedegau cynnar. Melys yw'r atgofion am de prynhawn yn 14 Longoaks Avenue, a'r sgwrsio am hwn a'r llall yn y teulu estyngedig yn Sir Fôn.

Deuthum i adnabod Curig yn well trwy weithio ar un adeg yn swyddfa'r Undeb yn Nhŷ John Penry. Roedd angen gwaith rhan amser arnaf ar y pryd, a chan fod Curig, yn ei swydd fel Ysgrifennydd Cyffredinol yr Undeb, yn chwilio am staff i weinyddu prosiect mawr o ddosbarthu llyfrau i'r ysgolion yng Ngorllewin Morgannwg, cefais fy nghyfle. Tipyn o gur pen oedd y prosiect hwn i bawb a fu'n gweithio arno, ac ni fu neb yn fwy cydwybodol wrth geisio datrys yr holl broblemau na Curig ei hun. Er ei fod yn gallu bod yn anniben, roedd ei galon yn y lle iawn, ac roedd yn annwyl iawn yn ein golwg ni, y staff. Clywsom sawl sylw doeth a dwys o'i enau wrth iddo ein trafod; gallai staff o tua 9 achosi cryn bryder weithiau, ond fe lwyddodd i fod yn addfwyn bob amser, ac roedd hynny'n gryn gamp o gofio am yr holl bethau a aeth o'i le ar y 'contract llyfrau' bondigrybwyll. Un o'i sylwadau yn unig a gofiaf yn glir, sef yr hyn a ddywedodd pan oedd yn mynd ati i geisio penderfynu ynglŷn â phryniant llyfr newydd i blant. Roedd hi'n arfer ganddo holi ein barn ni fel staff yn aml am hyn a'r llall, a'r diwrnod arbennig hwn, roedd Cymro di-Gymraeg yn digwydd bod yn bresennol yn y swyddfa, ac felly, yn Saesneg y daeth y sylw o'i enau fel hyn:

> We will ask Pat as she is the nearest to knowing what it is like to be being a child.

Roedd y Cymro di-Gymraeg wedi dotio'n lân at ei ddefnydd pert o'r iaith Saesneg, gan iddo ailadrodd y geiriau drosodd a throsodd wedi i Curig adael yr ystafell, a synnwn i ddim nad yw yn eu cofio i'r dydd heddiw fel finnau, a chofio'r un pryd am gymeriad hoffus a didwyll a oedd ei hunan yn agos iawn weithiau at 'fod yn blentyn'. Myfyriaf yn dyner amdano'n mynd i mewn i'r Deyrnas ac i lawenydd ei Arglwydd. Bu ei adnabod yn fodd i'm cyfoethogi innau; diolch i Dduw amdano.

Y Gweithiwr Diarbed
(Anerchiad a draddodwyd yn ei angladd)

W. RHYS NICHOLAS

Y mae pennod fawr yn dod i'w therfyn wrth inni dalu'r gymwynas olaf i'r Parchg. Curig Davies. Yn wir, bu ei gyfraniad mor fawr ac amlochrog nes mai anodd yw gwybod lle mae dechrau. Ond mae'n siŵr y dylid sôn rhywfaint i gychwyn am ei gefndir yn yr hen Sir Benfro.

Fe'i ganed mewn tyddyn o'r enw Tresaeson, ym mhlwyf Clydau, yn un o bump o deulu, tri brawd a dwy chwaer, a'r unig un ohonynt sy'n aros bellach yw ei chwaer, a olygai gymaint iddynt fel teulu, Miss Frances Davies, Cwm-ffrwd, Caerfyrddin. Yn ddiweddarach symudodd y teulu i le o'r enw 'Aberdyfant', rhwng Llanfyrnach a Glandŵr, a dyna'r lle a gysylltir â'r teulu yn lleol. Enw bedydd Curig Davies oedd Ebenezer. Cafodd brawd iddo yr enw Thomas, ond yn yr hen ardal cyfeirid atynt fel 'Benser' a 'Tomi'. Yn nes ymlaen fe fabwysiadodd Ebenezer yr enw 'Curig' o enw'r plwy yn Nyffryn Taf, Eglwys-fair-a-Churig, ac fe fabwysiadodd Thomas yr enw 'Tegryn', sef enw'r pentref cyfagos lle'r oedd yr ysgol ddyddiol yr aent iddi yn y dyddiau cynnar. Roedd chwaer fach iddynt a fu farw'n ifanc, yn dioddef oddi wrth anfantais corfforol, ac fe glywais rai a fu'n cydysgolia â hwy yn sôn yn edmygus am 'Benser', y brawd hynaf, yn ei chario i'r ysgol, pellter o ddwy filltir o leiaf. Yr oedd hyn yn ddameg o'r person oblegid ar hyd ei oes fe 'gariodd' hwn laweroedd gydag ef i'r cyfeiriad yr oedd yn dewis mynd.

Fe âi'r teulu i addoli y pryd hwnnw yn Llwyn-yr-hwrdd, ac yr oedd yr achos yno yn agos at galon Curig Davies. Pan gefais gerddi ganddo i'w cyhoeddi yn y gyfrol *Beirdd Penfro,* ugain mlynedd yn ôl, roedd yna gân hir i Lwyn-yr-hwrdd yn eu plith, ac fe ofynnodd i mi gynnwys honno, hyd yn oed os byddai rhaid gadael allan y lleill. Erbyn hyn, mae'n dda iawn gennyf fod y gerdd wedi ei chynnwys gyda'r lleill. Dyma'r ddau bennill olaf honno:

> Pwy gofiai heno'r hyfwyn sant
> A'n helpai i annerch gorsedd Iôr,
> A'r gŵr a rannai *Gymru'r Plant,*
> Neu nos pen blwyddyn ganu'r côr,
> Neu'r canmol mawr wrth lond Tŷ-cwrdd
> Ar ddoniau'r plant yn Llwyn-yr-hwrdd?

Pan ddelo'r wŷs i'm holaf hynt,
  A dewis gawn, pe Duw a'i myn,
Rhoi'r farwol ran lle garwa'r gwynt
  Ar gefnen foel yr hen Roslyn,
Nes cael o'm henaid eto gwrdd
  A gyrchai gynt i Lwyn-yr-hwrdd.

Yn ddiweddarach, symudodd y teulu i fyw yn fferm Aberdyfnant
ac yn eglwys Glandŵr, o dan weinidogaeth y Parchg. P.E. Price,
y codwyd y ddau frawd i bregethu fel eu cefnder, y Parchg. D.J.
Davies, Capel Als. Fe elwodd y tri yn helaeth o ddiwylliant
arbennig y rhan yna o'r wlad, lle'r oedd dylanwad O.R. Owen yn
aros, Thomas Rees yn un o arwyr y fro, a Brynach Davies yn dysgu'r
egin-feirdd.

Y mae gyrfa gyhoeddus Curig Davies yn hysbys, fel nad oes angen
manylu. Ond wrth dalu teyrnged i'w fywyd a'i gyfraniad rhaid sôn
am rai nodweddion a rhinweddau a welsom yn glir yn ei bersonoliaeth.
Un ohonynt oedd ei weledigaeth fentrus. Daeth hyn yn glir yn y ffordd
yr aeth ati i newid rhai o'r cyfryngau gweledig. Roedd angen cryn
fenter i drefnu'r gwaith a gyflawnwyd ar gapel Berea, Bynea, ei
eglwys gyntaf. Roedd angen menter fwy wedyn i brynu tŷ Harold
Greenwood yng Nghydweli, a'i droi yn gapel hardd. Dim ond gŵr
â gweledigaeth fentrus a allai ddechrau cylchgrawn uchelgeisiol fel
Gwybod i blant, a phan ddaeth y mentrwr brwdfrydig hwn yn
Ysgrifennydd yr Undeb 'doedd na ddim byd sicrach na bod newid
yn mynd i ddigwydd. Fe gafodd ei weledigaeth a'i fenter eu gyfle
delfrydol wrth iddo fynd ati i ddwyn ei freuddwydion i ben, a chael
Canolfan newydd i'r enwad a Gwasg i gyhoeddi'r llenyddiaeth. Roedd
yn ei elfen wrth y gwaith o dynnu'r cynlluniau a'u rhoi mewn grym.

Credai rhai pobl nad oedd Curig Davies yn gweld yn glir a bod
hynny yn amlwg yn y ffordd yr oedd yn egluro pethau i bwyllgor
neu gynhadledd. Ond ni fu erioed fwy o gamgymeriad. Y gwir oedd
ei fod yn gweld ymhellach na neb; roedd e wedi mynd rownd y gornel
o'n blaenau ni, ac yn siarad am bethau o safbwynt gwahanol i'r
mwyafrif. Dyna pam roedd llawer yn methu dilyn ei ymresymiad.
Ond mae ffrwyth ei fentro yn profi ei fod gweld yn gwbl glir.

Rhinwedd arall oedd ei benderfyniad di-ildio. Unwaith y byddai'r
weledigaeth wedi dod, 'doedd dim yn sefyll ar y ffordd. 'Roedd e'n
rhyfygus o benderfynol yng ngolwg rhywrai. Ond fe allwn ni ddweud
heddiw mai ef oedd yn iawn.

Fe gefais i brofiad o hyn yn fuan wedi dechrau fel cynorthwywr iddo yn y Llyfrfa. Yr oedd angen apwyntio ysgrifenyddes iddo a mwy nag un ferch wedi dangos diddordeb yn y swydd, ond roedd yr ysgrifennydd wedi penderfynu ymlaen llaw mai merch ifanc o'r enw Ray Rees fyddai'r un orau. Fe geisiodd eraill oedd ar y pwyllgor sôn am gymwysterau merch arall, a'r profiad yr oedd hi wedi ei gael. 'Na,' meddai Curig, 'hon yw'r un orau i ni.' Ac fe soniodd am ei Chymreictod ac am ei chefndir mewn capel Annibynnol. Yn llythrennol, fe orfododd y pwyllgor i'w dewis. Ac fe allwn ninnau ddweud heddiw mai dyna un o'r apwyntiadau gorau a wnaed erioed, ac y mae'n gyfle i ni dalu teyrnged i Miss Ray Rees am y cyfan a fu i fwy nag un Ysgrifennydd yr Undeb, ac i'r Parchg. Curig Davies yn arbennig. Roedd yr Ysgrifennydd yn ffodus fod ganddo hefyd o'r tu ôl iddo, yn ei gartref, briod ddawnus a doeth, ac yr oedd lliw ei diwylliant hi ar ei holl gyflawniadau ef.

Ond sôn yr oeddwn am ei benderfyniad, ac fe ellid nodi enghraifft ar ôl enghraifft. Cael Canolfan i'r enwad oedd un o'r delfrydau, ac aeth Mr. Gethin Williams ac yntau i dynnu'r cynlluniau, er gwaethaf gwrthwynebiad llym ar lawr Cynhadledd yr Undeb. Fe fydd Tŷ John Penry yn gof-golofn i'w benderfyniad i droi ei freuddwydion yn ffaith. A Gwasg John Penry hefyd. Fe geisiodd llawer ei berswadio i newid ei feddwl, ond roedd yn benderfynol. Ac er mai yng nghyfnod y Parchg. Trebor Lloyd Evans a Mr. Elfryn Thomas y daeth y Wasg yn nodedig am ei chynnyrch, rhaid peidio ag anghofio mai eiddo Curig Davies oedd y weledigaeth a'r fenter.

Rhaid dweud hefyd am un rhinwedd arall, sef ei ofal rhyfeddol dros fuddiannau enwad. Fe drodd bob carreg a symud pob rhwystr er mwyn sicrhau adnoddau y gallai'r Undeb bwyso arnynt, ac yn y cyswllt yna y mae ceisio esbonio ei ddiwydrwydd diflino. Roedd arbed arian yn holl-bwysig iddo. Mae stori'n cael ei hadrodd amdano yn mynd i bwyllgor yn Amwythig ar ran yr Undeb. Roedd ei dreuliau yn cael eu talu iddo, ond clwysai Curig Davies mai'r ffordd rataf fyddai codi tocyn i Landrindod, a thalu'r *excess* o hynny 'mlaen. Fe gafodd ddadl chwyrn â'r casglwr tocynnau, ond fe gafodd ei ffordd. Y peth pwysig iddo ef oedd ei fod wedi arbed ychydig arian i'r Undeb. Yr oedd bob amser yn ymwybodol o'r ffaith nad cwdyn di-waelod oedd adnoddau'r Undeb. A dyna rywbeth y dylem bawb ei gofio.

Yn y fan hon rhaid sôn am ei benderfyniad i gael chwarae teg i Undeb yr Annibynwyr Cymraeg pan oedd Trysorfa'r Pensiynau yn cael ei rhannu gan gyfeillion y *Memorial Hall* yn Llundain. Cynigient hwy £20,000 i'r eglwysi Cymraeg. 'If that is all you are willing to offer, there is no point in my staying on this Committee. I am going home' meddai Curig. Ac adref y daeth. Ond pen fawr o dro roedd y Saeson wedi codi'r swm i £30,000, ac unwaith yn rhagor roedd cyndynrwydd yr Ysgrifennydd i ildio wedi dwyn ffrwyth.

Yn ystod ei gyfnod ef, oherwydd ei fawr ofal yn gymaint â dim, tyfodd adnoddau'r Undeb yn syfrdanol. Yn 1942, pan ddechreuodd ar ei waith, cyfanswm cyfalaf y Drysorfa Gynorthwyol oedd £1,833. Pan adawodd y swydd 22 mlynedd yn ddiweddarach 'roedd y cyfalaf dros £200,000. Cynhwysai hynny y swm o £100,000 a gafwyd gan Syr David James. Boneddigeiddrwydd Curig Davies tuag at y gŵr hwnnw, pan oedd eraill yn ei wawdio, a barodd i Syr David fod mor haelionus. Daeth y ddau yn gyfeillion mawr ac y mae llawer gweinidog yn well ei fyd heddiw oherwydd y cyfeillgarwch hwnnw. Yr un math o foneddigeiddrwydd a oedd wedi gadael argraff ar y 'cymwynaswr dienw'. Daethai hwnnw i Swyddfa'r Ysgrifennydd un diwrnod, yn ddistadl ei olwg a *beret* ar ei ben, a gofyn beth oedd y cynlluniau a oedd ar droed i gynorthwyo gweinidogion a'u teuluoedd. Gyda'i eiddgarwch arferol eglurodd Curig Davies beth oedd yr angen. Gwyddai y byddai'r cymwynaswr yn rhoi rhyw rodd, ond gyda syndod a llawenydd y derbyniodd, yn fuan wedyn, siec o £20,000 tuag at waith y Drysorfa Gynorthwyol. Yr oedd boneddigeiddrwydd ac eiddgarwch unwaith eto wedi dwyn ffrwyth.

Er mai fel gweinyddwr y meddyliwn am Curig Davies, rhaid peidio ag anghofio fod greddf y llenor yn gryf ynddo, a'i hoffter mawr oedd mynd ati i greu rhywbeth a fyddai o ddiddordeb i blant yn arbennig. Y mae rhestr ei gyhoeddiadau yn un hir (Gweler y rhestr ar dud. 7). Cyfieithodd ef a'i briod amryw o lyfrau defosiwn i blant yn ogystal. A pheidiwn ag anghofio mai ef oedd un o sylfaenwyr Ysgol Haf yr Ysgol Sul, a bu'n ysgrifennydd iddi am flynyddoedd.

Ie, bywyd llawn. Llawn gweithgarwch, llawn penderfyniad, llawn arloesi mentrus. Ond y deyrnged orau y medrwn ni ei thalu i Curig Davies yw ein bod yn ymrwymo fwyfwy i weithio dros les y dystiolaeth Gristnogol, a thros lwyddiant yr eglwysi, er gogoniant i enw Duw. Oblegid dyna oedd y ddelfryd a daniodd ei ddoniau ef.

Y Gweithiwr yn haeddu gorffwys

F.M. JONES

Ei nabod a gefais i yn ei ddillad dwetydd. Dillad diwedd y dydd gwaith—dydd sy'n ymagor ar alwad y 'bydded goleuni', ac sy'n gorffen heb oleuni haul na lloer oherwydd yr Oen sydd yn goleuo bryd hynny. Gŵr hardd o bryd yn cerdded y traeth gan ddisgwyl am y llanw i grynhoi amdano. Nid ei fod e wedi blino. 'Doedd hynny ddim yn wir. Ond un o ryfeddodau'r drefn yw'r modd y cyflyrwyd ni i gyfarwyddo â gweld blodau yn cadw'u hanfod wrth ddiosg petalau yn y glaw. Wedi diwrnod hir o fyw ymhob tywydd mae'n siwr fod gan hyd yn oed Curig hawl i ddisgwyl gorffwys. Dim ond i ni gofio'r un pryd mai lle anodd i neb lwyr ymorffwys ynddo yw'r byd hwn. Nid am nad oes i ni yma ddinas barhaus yn gymaint, ond am nad oes i ni yma ddinas sanctaidd: dinas ag iddi sylfeini: dinas gyfiawn: dinas heddychol. Bu Curig Davies yn brentis siop y saer ger Tegryn, a byth oddi ar hynny bu'n goruwch-adeiladu yn gyson ac yn ddiflinio. Profiad newydd iddo yw trigo mewn tŷ nid o waith llaw.

Wrth sgwrsio gydag ef ac Enid ar eu haelwyd ei arfer ef oedd codi i'r gegin-fach a dychwelyd gyda thri llond cwpan o de chwilboeth. Y tri chwpan yn sefyll ar glawr llyfr ac yntau'n rhythu arnynt—rhag bod cyflafan. 'Mae'r Wasg yn troi llyfrau da mas,' medde fe ar ôl cyrraedd hyd atom ac osgoi edrych i lygaid Enid. ''Dyw Enid ddim wedi deall y tebot ar ôl yr holl flynydde ma.'

'Duwch,' meddai Enid 'mae'n dda i Benser fedru cynhyrchu rhwbath â thipyn o flas arno . . . ar ôl yr holl flynydde ma.'

'Wel,' ychwanegodd yntau, ''dw i ddim yn amau na fydde yma ambell un yn tagu hyd yn oed ar te da yma wrth iddyn-nhw ei gael e o'm llaw i!' Direidi'n llawn aelwyd, a galw am ragor o'r te. Y sgwrs yn dirwyn yn ei blaen. 'Cymerwch chi Syr David James 'nawr . . .' 'Etho i lawr ar un waith i weld Gethin yn ei offis . . .' 'Mistêc wnaeth yr Urdd oedd symud plant o'r capeli i wersyll-oedd . . .' Dyna fel y byddid yn bwrw golwg yn ôl, ac yna yn gafael yn anawsterau'r dydd ac yn cynnig datrys rhai o glymau'r ddynoliaeth yn fyfyrgar ac yn hwyliog. Dim awgrym o flinder. Ei ddiddordeb 'run mymryn yn llai nag y bu erioed.

Hoffai weld yr eglwys yn ymgynnull ar noson-waith, ac yn ystod ei weinidogaeth ef yn Henrietta bu graen a diwydrwydd arbennig ar y gymdeithas honno. Byddid yn cyrraedd y capel weithiau a chael nad oedd lle i 'glymu'r ceffyl.' Moduron eraill lond y strydoedd. Miloedd yn cyrchu'r Vetch. Llond dwrn ohonom ninnau.

''Dw i ddim yn dweud ein bod ni'n well na nhw, ond 'rwy'n cofio'r hen fois yn Llwyndrain yn gweddïo ac yn disgyblu. 'Rown ni gyda rhai ohony-nhw wrth y gwair un prynhawn. 'Ma nhw'n chware sha Llanelli 'na heddi,' medde un ohonyn nhw. 'Cico pêl.' Mi ddaeth yna gwmwl o rywle braidd yn annisgwyl. Fe aeth heibio i ni, ac i lawr i gyfeiriad Llanelli. 'Dyna fe,' meddai'r hen frawd hwnnw 'mae E yn gweld.'

'I chi'n gweld,' meddai Curig, 'mae E yn gweld. Mi 'roedd mam yn gweld. Yn gweld gyda llygaid gofal amdanom ni. Llygaid cariad a disgyblaeth. Meddyliwch chi gymaint mae E yn ei weld: gweld anghyfiawnder a gwastraff y gwledydd. Gweld gwŷr, gwragedd a phlant diniwed yn marw mewn eisiau am fod llond dwrn o ddynion yn tagu marchnadoedd er mwyn elw personol. Cymerwch chi Rwsia 'nawr—a ma nhw'n grac wrth Rwsia, ond fe roes hi gynnig go addawol ar newid pethe.' Yr oedd y syniad yna am werin gwlad yn deffro yn syniad gwefreiddiol iddo. Onid yw yn bryd gweld diorseddu treiswyr proffesiynol a'u dymchwel o'u gorseddfeinciau? Cofiwch chi bob amser—ei fod E yn gweld.

Wn i ddim faint o gyfeillach a fu rhwng Curig a Marx yn ystod ei bererindod ysbrydol. Ni fagwyd mo Curig ar laeth sur a wermwd lwyd, ac ni fynnai waed y gwirion ar ei ddwylo na bod yn ferthyr ar chwarae bach i'r un chwyldro pen-galed. Onid oedd Y Chwyldröwr wedi dod i'r byd? Wedi dod oddi wrth Dduw. Duw y Tad. Tad y cariad nad yw'n oeri. Dyma a ddywedodd o gadair Undeb Caerfyrddin yn 1965:

'Y mae gan Dduw ei ffordd rasol o weithio ym mywydau dynion—y ffordd a ddatguddir yn yr Efengyl. Teyrnas wedi ei seilio ar gyfiawnder, teyrnas i gynnwys pawb, teyrnas heb derfyn na ffin iddi o dan lywodraeth Duw. Teyrnas yr Emanuel—Un yn ei fyw ac yn ei farw a fu'n ysbrydiaeth i'r holl oesoedd am ugain canrif, Un a wynebodd y Groes fel unig ffordd iachawdwriaeth a chymod llawn â Duw'. Dyfynnu allan o araith un o'i arwyr pennaf yr oedd: araith y Dr. George Dawes Hicks i'r ychydig o fyfyrwyr a oedd yn ymadael â'r Coleg yng Nghaerfyrddin yn 1917. Cyfnod y rhyfel. Cyfnod y 'camddefnyddio a halogi cyfalaf materol a chynhysgaeth feddyliol ac ysbrydol y ddynoliaeth a pheryglu'n holl wareiddiad. Y mae yna ddigon o bobl yn barod i fynegi diffygion yr Efengyl, a hynny am fod diffyg yn y dehongliad ohoni.' Synhwyrodd y siaradwr 'y byddai'r oes yr oeddem yn ei hwynebu yn genhedlaeth ddi-ynni, ddidaro, ddiymadferth wedi ei llesgáu dan faich o dlodi ysbrydol . . .' 'Fe fydd y sefyllfa,' medd y Dr. Hicks wrth y myfyrwyr, 'yn gofyn am eich cyfraniad chwi.' Yr ydym ninnau erbyn hyn yn medru ystyried gymaint fu dylanwad y gŵr hwnnw ar Curig ar ddechrau ei weinidogaeth a chyfraniad Curig i'w amserau.

'Fydde mam ddim yn sôn byth a hefyd am Iesu Grist,' meddai o bryd i'w gilydd. 'Eglwyswraig oedd mam, ac onibai am Price, Glandŵr, ciwrat bach fydden i! Ond roedd rhai ohonom ni'r plant wrth chwarae rywbryd yn gwneud rhyw bethe na ddyle ni ddim, a dyma i chi mam yn dod ato-ni. Mam wedi'n gweld ni. 'Nid felna bydde Iesu Grist yn bihafio', medde hi. Anghofiais i byth mo'i geiriau hi. Wrth gwrs y mae yna ryw bobol sy'n dweud mai Undodwr ydw i. Y gwir yw fod Duw yn rhy fawr i fi ei amgyffred, ond y mae gen i ffydd ynddo Fe. Gwyn fyd yr hwn sy'n mentro i'r anwybod gyda Duw. 'Does gan neb yr hawl i ddisgwyl i Dduw i wneud y cyfan drostyn nhw. Mae E wedi rhoi'r cyfan i ni a'n braint a'n hurddas ni yw gweithio gydag E. Cofiwn bob amser yr hyn a wnaeth Iesu Grist.'

Gŵr tyner iawn ei ysbryd oedd y Parchedig E. Curig Davies. Cymwynaswr a gweithiwr anhunanol. Ni pheidiodd â rhyfeddu at fenter Duw yn estyn i ddyn ran a chyfran yn y gwaith o wneuthur ei ewyllys Ef ar y ddaear.

Satan yw'r gelyn. Gwrthweithio cynllwynion hwnnw o awr i awr yw unig gyfle dyn yng ngoleuni'r Efengyl. Oddi tanom yn wastad y mae'r breichiau tragwyddol. Torchi llewys yw Ffydd. Cyfrwys, trychinebus, ac ofnadwy yw cynllwynion Diafol.

O ddôr ei fwthyn fe welodd Cynan greigiau Aberdaron a thonnau gwyllt y môr. Yr oedd Curig hefyd yn fardd a llenor. O ddôr y bythynnod y bu ef yn trigo ynddynt—Fron-wen, Aberdyfnant a Thresaeson—gwelodd fythynnod tebyg, ynghyd â'u preswylwyr brawdol, ar hyd a lled daear las. Yn Ucrâin, Uganda, ac ar y Paith. Un plwyf. Un teulu. Un Duw. Un Efengyl i'w cydio wrth ei gilydd.

Hyn yw ein hiachawdwriaeth. Yn Nuw y mae ein tangnefedd. Gwasgar y wybodaeth hon a fu iddo ef yn brif fraint a gorchwyl ei fywyd.

'Does neb a ŵyr hyn yn well nag Ednyfed ei fab. Wrth iddo ef ymgynnal dan faich hiraeth o golli ei rieni, dymunwn iddo ef, ac i Amanda, ei briod, a'u dwy ferch fach, lawenydd yn yr Arglwydd Dduw. Buont ill dau yn dyner anghyffredin yn eu gofal ohonynt. Cofiwn hefyd Frances y chwaer sydd mor debyg i'w brawd yn ei chadernid a'i hiwmor iach. A chofiwn y Preselau a fu'n gymaint cefn i'w plant ymhob annibynniaeth barn.

(o'r *Tyst)*

Iesu o Nasareth

(Un o ysgrifau E. Curig Davies)

Un o athrawiaethau mawr y Ffydd Gristionogol yw *Athrawiaeth y Drindod*, er mai o'r braidd y gellir profi bod iddi sail yn y Testament Newydd. Ond, yn ein llenyddiaeth Gristionogol, wedi dyddiau ysgrifennu'r Testament Newydd, y mae iddi le amlwg. Y syniad am Dduw sy'n un ac yn dri ar yr un pryd, peth sy'n enigma, ac yn codi pob math o broblemau i ddiwinyddion. Beth bynnag arall ydyw, y mae'n symbol o ddirgelwch Duw, sydd tu hwnt i ddeall dyn; ac y mae dynion yn gallu dweud beth a fynnant am yr hyn sydd y tu hwnt i ddeall a rheswm; ac ynglŷn â phethau yn y diriogaeth honno y mae pobl yn dadlau ac anghytuno.

Daeth rhyw bethau i gael eu derbyn fel datguddiadau anffaeledig heb eu bod yn cynnwys unrhyw wirionedd o bwys, na bod yn berthnasol i fywyd. Y mae pobl sydd yn meddwl drostynt eu hunain yn teimlo fod ganddynt hawl i wrthod syniadau afresymol a gwrthod credu yr anghredadwy.

Bydd rhai diwinyddion yn delio â thri pherson. Eraill fel Karl Barth yn pwysleisio tri *Modd* ar yr *un* person. Wedi ymdroi gyda hwy a cheisio deall eu dadleuon, ni cheir fawr o oleuni ar y dirgelwch, na fawr o help i fyw, nac unrhyw gyfarwyddyd ymarferol.

I ddechrau maent yn defnyddio termau gwahanol am yr un pethau, a hefyd yn gwahaniaethu yn fawr yn yr ystyr a roddant i'r un termau y clywir cyfeirio atynt amlaf—y Tad, y Mab a'r Ysbryd Glân.

Nid ehofndra yw i rywun ddewis ohonynt, a rhoi ystyr iddynt, a'r un ystyr bob tro. Pan feddylir am yr ail Berson neu'r ail Fodd, cyfeirir ato fel 'Iesu', 'Iesu Grist', 'yr Eneiniog', 'yr uniganedig Fab', y 'Crist Cosmig' etc. Deuwn ar draws syniadau gwahanol am y Crist. 'Crist Hanes, Iesu o Nasareth', meddai rhai, wedi dod i'r byd fel pawb arall, ac wedi *dod* yn Grist. Eraill yn dweud iddo ddod i'r byd trwy enedigaeth wyrthiol, ac nad oedd ei fywyd yn naturiol fel pawb, eithr o natur wahanol i bawb arall.

Y mae syniadau diwinyddion am Dduw, Iesu Grist a'r Ysbryd Glân yn gwahaniaethu yn fawr, ond rywfodd nid yw'r gwahaniaethau mewn syniadau yn cyfrif dim wrth fynd i geisio nerth a chyfarwyddyd mewn argyfwng. Y pryd hwnnw ni bydd yn rhaid i neb ateb am ei syniadau; bydd y ffaith ei fod yn dod gydag ymdeimlad o'i eisiau a'i angen yn ddigon. *'He will only need his needs'*.

Dengys hanes crefyddau'r byd fod dyn o'r dechrau wedi ymdeimlo â'i angen, yn ofnus ac yn ddiallu yn wyneb ei amgylchiadau, stormydd, cyfnewidiadau yr hin, peryglon, gelynion, credu fod y duwiau wedi eu digio, a methu ennill eu ffafr. Pan oedd yr amgylchiadau'n ffafriol, os oedd duwiau a allai eu drygu, pam lai na allai fod duwiau caredig y gellid mynd atynt am eu cymorth? Aberthid i'r duwiau a bwyta gyda hwy, ac ystyrid hyn yn sacrament a'u clymai mewn cyfamod i gadarnhau cyfeillgarwch. Rhoddid y pethau mwyaf gwerthfawr yn aberth, y gorau o'u hanifeiliaid, ac aberthai pobl hyd yn oed eu plant, ac y mae enghreifftiau o bersonau yn eu rhoi eu hunain yn aberth er mwyn lles rhywun arall. Ac yn ymwneud dynion â'i gilydd ac â'u duwiau, cododd yn nyheadau pobl ddisgwyliad am waredwr i'w gwaredu rhag peryglon a'u hachub o'u hofnau a'r drygau a'u blinai.

Yr ydym yn gweld profion o raslonrwydd Duw mewn Hanes, a'r prawf cliriaf o hynny fu ymddangosiad dynion arbennig wedi eu donio i gwrdd â'u hawr a'u hoes. *Genius on earth is God giving himself,* meddai Shakespeare, ac y mae yn gwneud hynny drwy Hanes.

Gwelir hyn yn hanes sylfaenwyr Crefyddau'r byd, a chodwyd disgwyliad ymhlith pobl y byd am arweinwyr a gwaredwyr. Ni bu'r hen Gymry'n eithriad a buont yn disgwyl gwaredigaeth, pan ddeuai amser canu'r gloch i ddeffro'r gwaredwyr.

Yr oedd yr Iddew yn disgwyl y Meseia, o linach eu brenin mwyaf hwythau, i waredu'r genedl o'i chaethiwed, a'i dyrchafu yng ngolwg y byd fel cenedl etholedig Duw. Disgwylid iddo ddod o'r tu allan ar gymylau'r nefoedd, gyda'i lu arfog i ddwyn y drefn bresennol i ben a sefydlu Teyrnas Dduw. Dyma oedd y gred gyffredinol yn amser Iesu o Nasareth—fod y deyrnas ar ddod, ac nad oedd dydd Duw ymhell.

Yr oedd ef yn fab i bobl dlawd, a'r Rhufeiniaid mewn awdurdod y pryd hwnnw, a'r Herodianiaid mewn ffafr.—gwahanol sectau o grefyddwyr, Phariseaid a Saduceaid mewn bri, a'r Selotiaid yn awyddus i 'symud iau y Rhufeinwyr oddi ar war y genedl'.

Yr oedd hefyd yn y wlad bobl dda yn parchu'r traddodiadau, yn ffyddlon i'r synagog a'i hordeiniadau, ac yn trwytho eu plant yn ffydd eu tadau. Tua'r adeg yma galwyd ar bawb trwy yr holl fyd, a oedd dan lywodraeth Rhufain, i fynd i dalu'r dreth, pob un i'w ddangos ei hun, ac yn eu plith Joseff a Mair o Nasareth yn Galilea yn mynd yn ôl i Fethlehem, y dref yr oeddynt yn frodorion ohoni. Pan gyraeddasant yr oedd pob lle yn llawn. Methasant gael lle i roi pen i lawr mewn unrhyw lety, wedi cyrraedd yn hwyr ac yn flinedig gan y daith. Cymerodd rhywun caredig drugaredd arnynt, a rhoi lle iddynt orffwys am y nos yn y lle y cadwai ei anifeiliaid, ac yno y nos honno y ganed iddynt eu mab cyntaf-anedig. Galwyd ei enw Ef Iesu, ac aethant ag Ef i Jerwsalem i'r Deml i'w gyflwyno i'r Arglwydd, cyn troi am adref i Nasaraeth.

Trwythwyd Ef yn yr ysgrythurau. Dysgwyd iddo grefft saer, yng ngweithdy ei dad. Pan oedd yn ddeuddeg oed cafodd fynd gyda'i rieni i Ŵyl y Pasg yn Jerwsalem, a chawn hanes amdano yno yn y deml yn gwrando ar yr athrawon yn egluro'r Gair, ac yn eu holi yn ei gylch.

Tyfodd i gael dylanwad mawr. Gadawodd weithdy'r saer a dechrau pregethu'r Efengyl; dysgu'r bobl am Dduw, ac egluro Gair Duw, a iacháu clefydau ac afiechydon ymhlith y bobl, ac yr oedd yn aruthr gan y bobl wrth ei athrawiaeth Ef, 'oblegid yr oedd Efe yn eu dysgu hwynt fel un ag awdurdod ganddo, ac nid fel yr Ysgrifenyddion a'r Phariseaid'.

Yn y siom o hir ddisgwyl am y Meseia a Theyrnas Dduw, gofynnwyd am farn yr Iesu am y Meseia, a pha bryd y deuai, a'i ateb oedd — Ni ddaw'r Meseia ar gymylau'r nefoedd, na theyrnas Dduw wrth ddisgwyl. 'Teyrnas Dduw o'ch mewn chwi y mae.'

Ei neges fawr oedd galw'r bobl yn ôl at Dduw a phregethu edifeirwch, a chyhoeddi fod Teyrnas Dduw yn agos. Rhoddodd ystyr newydd i'w ddisgyblion ac i'r byd am Deyrnas Dduw, er bod llawer o broffwydi a rhai cyfiawn wedi bod yn paratoi'r byd i'w derbyn. Soniai Ef am newid anian ac am faddeuant pechodau.

Myn Albert Schweitzer nad oedd Iesu ei hun yn gwbl rydd o gredu fel pobl ei oes y deuai'r deyrnas yn fuan, eithr gwelai hefyd beth y medrai dynion eu hunain ei wneud, o dan ddylanwad Ysbryd Duw.

Dywed Schweitzer mai'r Cristionogion cynnar dan ddylanwad y Fetaffyseg Roegaidd a briodolodd i'r Iesu ddwyfoldeb a gwaddol o berffeithrwydd na wnaethai Ef ei hun un hawl i hynny. Bu fyw yn llwyr i'r pethau a berthynai i Dduw, a meddyliai am Dduw fel Tad, yn cymryd diddordeb tadol yn y byd, a lles dynion mewn golwg ganddo. Dangosodd ffordd bywyd, a ffordd yr Iachawdwriaeth i ddynion, ffordd a gerddodd Ef ei hun. Ffordd y bu ef ei byw, gan ddioddef Croes a diystyru gwaradwydd.

Medd Schweitzer ymhellach. *He is so great that the discovery that he belongs to his age can do him no harm. He remains our Spiritual Lord.*

Mewn un modd y mae Duw uwchlaw pawb yn hanfodi ynddo'i hun, mewn *Modd* arall yn ymgnawdoli mewn personau ac mewn *Modd* arall hefyd yn ceisio cadw pawb mewn Perthynas ag Ef ei hun.

Y mae adnod yn yr Epistol at yr Hebreaid, 'Canys pob tŷ a adeiledir gan rywun, ond yr hwn a adeiladodd bopeth yw Duw'. Nerth Duw a ddefnyddir gan bob un, ond gwelir mwy o'i Ysbryd a'i nerth a chyflawnach datguddiad, wedi dyfod trwy rai na'i gilydd, am fod eu gallu i dderbyn yn fwy. Cafodd Iesu fwy na neb. Nid yw yn gwneud synnwyr i feddwl amdano o natur a sylwedd gwahanol i'r rhelyw o ddynion. Eithr o ysbryd ac ewyllys cwbl ymgysegredig i Ewyllys Duw. Efe a roddes i bawb allu i fod yn feibion i Dduw; ni ddywedir fod Duw wedi ei fodloni yn neb ond ef.

Y mae y Cariad Mawr am dynnu pawb ato'i hun – pawb a grëwyd ganddo. Y mae ei Ysbryd am gadw'r berthynas, a'i hadfer lle y mae wedi ei thorri.

Nid wrth ddyfeisio ffyrdd i gael bywyd tragwyddol – cadw defodau a mabwysiadu credoau diystyr y gall dyn ddod i gymod â'i Greawdwr, eithr yn ffordd Iesu trwy ymateb i gymhellion ei ras. Arferion crefyddlyd yw llawer o'n crefydd ni, heb ystyr na phwrpas iddynt.

Mae'r Deyrnas o hyd yn ymyl, eithr ni ddaw wrth ddisgwyl. Ni welir Teyrnas Dduw ar y ddaear nes ei chael i galonnau dynion, ac yna bydd pob meddwl, pob bwriad a phob gweithred o dan ei ddylanwad. Nis cyflawnir heb fewnolrwydd.

'The Spirit of God will only strive against the spirit of the world when it has won its victory over that spirit in our hearts'. (Schweitzer).

Dywed Berdyaev nad trwy ddefod na chredo yr etifeddir Teyrnas Dduw. *'It will be a result of Divine human work'* – yn ffordd Iesu.

Detholiad o Farddoniaeth

CYFEILLION A BEIRDD YN CYFARCH CRWYS

Rhyw nifer fach wahoddwyd i'r cwmni un Nos Iau —
Y Maer, y Llyfrgellydd, a ffrindiau, un neu ddau.

I dalu teyrnged gywir trigolion yr holl dre.
I wir athrylith cyfaill — enwocaf gŵr y lle.

Ond pan gyrhaeddais yno, a'r Maer a'r ffrindiau 'nghyd
'Roedd torf rhy fawr i'w rhifo yn gwau trwy'r lle i gyd.

Hen Josi'r Cwm amlyca' a Chymry Pant-y-crwys —
O'r braidd, yn ôl eu harfer, yn rhoi ar ddefod bwys.

'Roedd Newyrth Dafydd yno, yng ngwisg yr oes o'r blâ'n
Mewn cot o frethyn cartre o wlân y defaid mân.

A Saint yr hen Felindre yn dilyn Alis Puw
Fu'n effro lawer noson yng nghwmni Engyl Duw.

Y Casglwr Bach direidus a fu mor ffraeth ei air
Nes ennill punt yn gyfan i bacio pisyn tair.

Daeth Wil, y Mab Afradlon, ar ôl arafu'i gam,
A'r Beibl dan ei gesail â'i enw yn llaw ei fam.

Ac yno yr oedd Lincoln, bob cam o Illinois.
A'r negro yn ei gwmni gadd le yn ddiymroi.

Mi welais Benni Benfoel, o'i drwbl dro yn rhydd,
Ac Ifan Phillips, yntau, yng nghwmni Siôn y crydd.

A ffrindiau Castellnewydd, Dre-wen ac Aber-cuch,
Pob un yn llaith ei lygaid, ond pawb a'i draed yn sych.

'Roedd Marged wedi cyrraedd cyn diwedd y prynhawn,
A John, yn ôl ei arfer ddilynai'n drefnus iawn.

Y syber Domos Tomos — un siŵr o gadw ei awr —
Mor debyg i gynifer, heb dynnu sylw fawr.

Daeth doniau'r dref yn gryno ac yntau William Hen,
Martin Ddall a Newyrth Siôn fel arfer ar ei wên.

Fe lwyddodd Seimon gyrraedd, y Peidiwr mwya 'rioed,
Daeth yntau Ifan Ifans o'r lle a'r lle i'r oed.

Cyrhaeddodd Crydd Llangernyw, a ddaeth o'r gweithdy llawn,
A rhywbeth heb ei orffen, fel arfer, debyg iawn!

Yr Athro Ellis Edwards – o bawb y mwyaf un –
A chydag ef yr Iddew, hen gyfaill bore Llun.

Yr Olwen dyner galon, a Sipsi fach y fro.
Gwenllian, a Mererid, ddaeth heibio ar eu tro.

'Rhen Siôn a'i farf grynedig – o'r Goetre'r olaf un,
A Dafydd Rhys yn teimlo yn burion ynddo'i hun.

Y Töwr o Langyfelach, a Sam o Ryd-y-fro,
A'i wyneb fel y parddu gan lwch y lefel lo.

A Robin o Dŷ'r Abad – sef pob rhyw ddyn sy'n byw,
Yn gadael 'rôl aredig y gweddill oll i Dduw.

A dod wnaeth yr Ymwelwyr – y rhain ni allent lai –
Yn siŵr, yn siŵr, heb fethu – y digyfnewid rai.

Y Cymro

LLWYN-YR-HWRDD

Rhyw lwdwn mynydd ar ei daith
    A ddaeth i ŵeru dan y llwyn:
Fe ddaethai heibio lawer gwaith, –
    Dod i hamddena ar y twyn.
Ni wisgwyd byth mo'r enw i ffwrdd
Ac enw'r llwyn fu Llwyn-yr-hwrdd.

Rhyw hwsmon wedyn ar ei dro
    A ddaeth a hoffi'r lle a'r fan,
A chodi bwthyn iddo'n do
    A nodded clyd i'w deulu gwan:
A chodi cegin fach a bwrdd,
Ac enwi'i dŷ yn Llwyn-yr-hwrdd.

A'r Efengylydd, yntau, a ddaeth
  I wneud cymwynas yn ei oes,
A rhoi i'r bobol ddiddwyll laeth —
  A'r Newydd Da am Ŵr y Groes.
A chodi'r Tŷ i'r Saint i gwrdd,
A chwrdd â Duw yn Llwyn-yr-hwrdd.

Mi gofia'r hil o'r Cwm gerllaw
  Yn dod i'r Cymun a'r Cwrdd Mawr,
A rhai dros gwr y rhostir draw
  Ar ddefosiynol Sanctaidd awr:
Byseddu'r bara, wrth y bwrdd,
A rhannu'r gwin yn Llwyn-yr-hwrdd.

Mynd heibio, ddoe, i lawer bwth
  A'r ardd o'i gylch yn anial gwyllt,
A'r hin yn malu'r muriau rhwth,
  Ac ar y lloriau porai'r myllt.
Yr hen dyddynwyr aeth i ffwrdd,
O un i un i Lwyn-yr-hwrdd.

Mynd ar eu hôl dros gefnffordd lwyd
  I dreulio 'mysg hen ffrindiau, awr,
Ond heno clo oedd ar y glwyd,
  A thros y fan ddistawrwydd mawr:
Ac ni chaed gair gan neb, na chwrdd
A gyrchai gynt i Lwyn-yr-hwrdd.

Pwy gofiai heno'r hyfwyn sant
  A'n helpai i annerch Gorsedd Iôr,
A'r gŵr a rannai *Gymru'r Plant*,
  Neu nos Pen Blwyddyn ganu'r côr,
Neu'r canmol mawr wrth lond Tŷ-cwrdd
Ar ddoniau'r plant yn Llwyn-yr-hwrdd?

Pan ddelo'r wŷs i'm holaf hynt,
  A dewis gawn, pe Duw a'i myn —
Rhoi'r farwol ran lle garwa'r gwynt
  Ar gefnen foel yr hen Ros-lyn,
A chael o'm henaid eto gwrdd
A gyrchai gynt i Lwyn-yr-hwrdd.

LLWYBRAU ANTUR

Dôi sôn am Anturiaeth môr-deithwyr
    Ar lwybrau diarffordd y byd,
A sôn am drysorau'r Ynysoedd
    A'u traethau yn Gwrel i gyd.

'R oedd cysgod y rîff dros yr ynys
    Rhag ymchwydd môr garw a'i sŵn;
A physgod o liw yr enfysau
    Yn chwarae yng nglesni'r lagŵn.

'R oedd ffrwyth y trofannau ar goedydd
    A heulwen hir haf yn eu pryd,
A dellni'r brodorion hygoelus
    Yn gyfle'r ysbeilwyr o hyd.

Gweld gwerth mewn eneidiau colledig
    Wnaeth gweision ffyddlonaf Duw Iôr,
Yn gwybod am fendith i'w rhannu
    Â brodor Ynysoedd y Môr.

Ni dderfydd clodfori anturiaeth
    Y 'Gamden' a'r 'Duff' yn eu hoes,
Ac enw John Williams y Merthyr
    Ar ymchwil amgenach y Groes.

CYSGOD Y GROES

Âi Iesu Grist i'r capel
    Bob Sul yng nghwmni Mair,
A dysgodd ar ei deulin
    Adnodau'r Dwyfol Air.

Aeth gyda'i dad i weithio
    Wrth fainc y saer cyn hir,
Ac nid oedd saer gonestach,
    Cywirach, yn y tir.

Adroddodd lawer stori
    Wrth blant y pentre bach
Ddôi at ei weithdy'n gyson
    Yng nghanol chwarae iach.

Gwnâi esmwyth iau i'r ychen —
  'R oedd graen i'w waith i gyd,
Ond blinai yntau, weithiau,
  Dan faich gofalon byd.

Digwyddodd Mair un hwyrddydd
  Ei weld yn dod o'i waith,
A haul yr hwyr lewyrchai
  Ar chwys ei wyneb llaith.

Estynnodd Ef ei freichiau
  Ar led, dan flinder loes —
A Mair ar draws y pared
  A welodd gysgod croes.

Y LLANW

Yn nhrwstan droeon natur, a dyddiau'r distyll mawr,
A chredu o'r barbariaid i'r môr anghofio'i awr,
A lle bu tonnau'r llanw'n dygyfor erwau'r traeth,
Fe ddaeth â'i gelloedd simsan at bob rhyw isel chwaeth.
Pedlerwyr ffug ddiddanwch a ffaniaid *jazz* a chrŵn
I ymlid y cyfaredd â phob anynad sŵn.

Athrylith dawn y Cread, y cwmwl glaw a'r gwynt,
Hen anian y mynyddoedd, a lleuad ar ei hynt,
Yn gweld y byw dibwrpas a'r gwerthoedd drud heb barch.
Yr ystondinau gweglyd, heb allor ac heb arch —
Sy'n ymfyddino i frwydr fel llu a gwyd i'r gad
I herio yr ehofndra'n eiddigus o'u hystâd.

Nid oes a all wrthsefyll hen ordeiniadau'r Iôr,
Y lle bu mwya'r distyll bydd mwya' llanw'r môr,
A chydnaws y gynghanedd â chanu sêr y wawr,
Gorfoledd llu y gwynfyd a rhuddmau'r cydfyd mawr;
A sŵn pistylloedd cyfrin sydd gyda'r llanw'n dod
I alw'r dyfnder hwnnw sy'n hanfod craidd fy mod.

Y cerddi allan o *Beirdd Penfro*
(Golygydd W. Rhys Nicholas), Gwasg Gomer, Llandysul 1961.

Barddoniaeth Er Cof

CURIG

Symbylodd adnewyddu ac adeiladu Berea, Bynea,
a Chapel Sul, Cydweli, a Gwasg a Thŷ John Penry

Pensaer breuddwydion ydoedd, a gŵr dyfal
  A gloddiodd lwyth o feini o dirgraig ei ffydd;
Ei ddoniau ar allorau at ei waith amryfal
  Ac mor ddiarbed yr ymroes at fynych alwadau ei ddydd.
Daliodd drwy gydol oes i godi maen ar faen
  O furiau Seion, er amled y corwyntoedd chwyth,
A thyfodd ei adeilad mor ddi-rwysg ei raen,
  Ac erys ei lafurwaith iddo'n glod dros byth.
Da was ydoedd, ffyddlon yn ei swydd a'i safiad
  Heb ofni ei warthruddo'n ffals gan wenwyn byd,
Na phrisio dim am anrhydeddau ei ddyrchafiad.
  Digon oedd tâl llafurio'n onest i'w fwyn fryd.
Erys ei goffa yn saernïaeth gwiw ei dasg,
Gŵr nad ymwisgodd mewn na rhith na masg.

                        −D.E. Williams, Sgeti, Abertawe.

COFIO CURIG

Cofio Curig yw cofio cariad−hwn
  A rhin ei ymroad;
Rhoes ei ynni dros enwad
A hefyd dŷ sy'n dref-tad.

Diaros a diwyro−ei anian
  A mynnai ef deithio−
Er ei drin lawer i dro−
Yn ei flaen yn ddiflino.

104

Yn Llwyn-yr-hwrdd cwrdd y co',—a'i weddi
   A fu'n waddol iddo,
  A hen fraint addoldy'r fro
  A roddodd Glandŵr iddo.

O le i le mae ôl ei lwydd—yn dyst
   Fyth o'i daer barodrwydd;
  Os marw'r gweithiwr o'n gŵydd,
  Didranc fydd y diwydrwydd.

               —D. Gwyn Evans, Aberystwyth.